Christian Lavenne

Évelyne Bérard

Gilles Breton

Yves Canier

Christine Tagliante

studio 100

cahier d'exercices

niveau ❷

Didier

Sommaire

Couverture : Isabelle Aubourg
Conception maquette : Nelly Benoit
Dessins : Jean-Louis Goussé : pp. 13, 19, 22, 23, 25, 85 ; Didier Crombez : pp. 30, 37, 69.
Mise en page : SG Production

© Les Éditions Didier, Paris 2002   ISBN 2-278-05165-2   Imprimé en France

Guide des contenus

Parcours 1

Séquence 1

Paroles

1) Qu'est-ce qu'il a dit ?

Écoutez et dites quel enregistrement correspond à chaque phrase :

a. Il a protesté contre cette décision budgétaire. → Enr. n° ....

b. Il nous a annoncé sa démission. → Enr. n° ....

c. Il nous a donné des nouvelles de son frère. → Enr. n° ....

d. Il lui a fait un compliment. → Enr. n° ....

e. Il m'a proposé de lui rapporter une spécialité mexicaine. → Enr. n° ....

f. Il nous a invités à la fin de la semaine. → Enr. n° ....

g. Il nous a annoncé la sortie de son film. → Enr. n° ....

h. Il m'a interdit de sortir après 11 h. → Enr. n° ....

i. Il m'a conseillé d'aller voir un spécialiste. → Enr. n° ....

j. Il m'a demandé de l'aider. → Enr. n° ....

2) Constructions verbales

Complétez avec le verbe qui convient :

1. Jacques m' .... de l'accompagner en Grèce.
(a refusé / a obligé / a proposé)

2. Elle m' .... à dîner ce soir ! (a demandé / a invité / a promis)

3. Je lui .... de l'emmener au cirque demain.
(ai promis / ai invité / ai autorisé)

4. Elle m' .... d'offrir un disque à Jean. (a obligé / a invité / a suggéré)

5. Il m' .... comment il avait eu du travail.
(a invité / a expliqué / a interdit)

6. Je lui .... de quitter mon appartement.
(ai demandé / ai invité / ai interrogé)

7. Vous l' .... à travailler le dimanche.
(avez promis / avez refusé / avez obligé)

8. Elle lui .... de revenir. (a expliqué / a interdit / a autorisé)

3) Concordance des temps

Complétez avec le temps du verbe qui convient :

1. Elle m'a dit qu'elle (arriver) .... à 9 heures ce soir.

2. Paul m'a demandé si je (parler) .... chinois.

3. Il m'a assuré que j'(avoir) .... du travail à partir de la semaine prochaine.

4. Jacques et Aline m'ont dit qu'ils (partir) .... en vacances lundi prochain.

5. J'ai rencontré Alex, il m'a dit qu'il (trouver) .... du travail. Il commence mardi.

6. Marie a téléphoné ; elle a dit qu'elle (oublier) .... son passeport à la maison.

7. Je vous ai dit qu'il (falloir) .... envoyer une demande écrite.

8. Elle m'a demandé si je (connaître) .... bien ton frère.

9. Ils ont dit qu'ils (arriver) .... demain.

10. Il a demandé si tu (pouvoir) .... lui prêter 100 euros.

4) Message oral / message écrit

Écoutez et indiquez la phrase qui correspond à chaque enregistrement :

1. ❑ Il a souhaité la bienvenue aux représentants de Düsseldorf.
   ❑ Il a approuvé les représentants de Düsseldorf.
2. ❑ Elle a refusé de recevoir M. Bûche.
   ❑ Elle a accepté de recevoir M. Bûche.
3. ❑ Il nous a interdit de nous adresser au gardien.
   ❑ Il nous a suggéré de nous adresser au gardien.
4. ❑ Elle a apprécié ma façon de poser le problème.
   ❑ Elle a critiqué ma façon de poser le problème.
5. ❑ Il nous a obligés à venir à 7 heures.
   ❑ Il nous a conseillé de venir à 7 heures.
6. ❑ Elle nous a demandé notre avis sur la semaine de 32 heures.
   ❑ Elle a refusé de discuter avec nous de la semaine de 32 heures.

5) Pronoms

Complétez avec *m', t', l', nous, vous, leur* :

1. Les Legrand sont passés, je .... ai dit de revenir plus tard.

2. Cyril .... a conseillé de vendre ma voiture.

3. Elle a écouté Alain, puis elle .... a vivement critiqué.

4. On n'avait pas fini notre contrôle, la prof de français .... a interdit de sortir de la classe.

5. Je suis sûr que Martine .... a raconté des histoires.

6. La police a arrêté M. Lemoine, ils .... ont interrogé pendant des heures.

7. M. Félon .... a appelé, il vous demande de le rappeler avant 7 heures.

8. Les enfants, je .... ai interdit de jouer avec le feu.

9. Tu connais bien Maréchal, il va certainement .... inviter à son spectacle.

10. Aline est très curieuse, elle .... a interrogé sur mon voyage.

6) Discours indirect

Reformulez les phrases avec *demander si / demander de / dire que / dire de* :

EXEMPLE ● *Apporte-moi un livre de Bourdieu.* → *Il m'a demandé de lui apporter un livre de Bourdieu.*

1. Est-ce que tu connais un hôtel pas cher à Paris ?

....

2. Vanessa va se marier.

....

3. Prenez le premier train pour arriver à l'heure à l'aéroport.

....

4. Vous connaissez le Chili ?

....

5. Passe me prendre à 7 heures.

....

6. Vous pourriez m'apporter un CV ?

....

7. Jeanne est à l'hôpital, elle s'est cassé la jambe.

....

8. Vous parlez espagnol ?

....

9. Arrêtez votre traitement pendant huit jours.

....

7) Accepter / refuser

Écoutez les réponses et faites correspondre les demandes avec les réponses :

1. Tu veux venir dîner à la maison ce soir ?
2. Vous voulez que je vous aide à trouver un hôtel ?
3. On va au cinéma ?
4. Tu veux un café ?
5. Tu peux me montrer comment on trouve un site sur Internet ?
6. Tu emmènes les enfants à l'école demain ?
7. Vous prenez ce pull ?
8. Vous voulez vous asseoir un instant ?

1	2	3	4	5	6	7	8

8 Phonie / graphie : les homophones

Écoutez et complétez avec *mais / mes / mets / met* :

1. .... ton imperméable : il va pleuvoir.

2. J'ai fini de passer .... examens, je suis en vacances.

3. Raphaël est un garçon sympathique, ... il est un peu timide.

4. Tu vois, pour réussir cette recette, tu .... juste une cuillère à soupe de concentré de tomate en fin de cuisson.

5. .... tu ne m'as pas prévenu de ton absence !

6. Je suis heureux : tous .... amis sont ici.

7. Où est-ce que je .... ta valise : sous le siège ou au-dessus ?

8. Je ne peux pas venir lundi .... c'est promis : je serai là mercredi.

9. À l'intérieur du pays, une lettre .... en général vingt-quatre heures pour arriver à son destinataire.

10. .... où sont passées .... clefs de voiture ?

9 Orthographe : graphies du son [ɛ̃]

Complétez les phrases avec *in / im / ein / ain / aim / en* :

1. Gérard arrive dem.......... mat.......... .

2. Nous allons refaire les p..........tures de notre salle de b.......... .

3. Tu vi..........s avec moi s'il te plaît ?

4. Mes clés sont dans la poche droite de mon ....perméable.

5. Tu veux bi.......... acheter du p.......... ? Il n'y en a plus.

6. Ahmed est maroc.......... et Gino est itali.......... .

7. J'ai f.......... ! Je reprends de ton lap.......... : il est délicieux.

8. Demain est une journée ....portante : je passe mon exam.......... de f.......... d'année.

9. Je suis le parr..........   des enfants de Claudine et Franck.

10. En partant, n'oublie pas d'ét..........dre les lumières.

1) Impératif / infinitif

Complétez avec la forme qui convient :

1. Ne pas .... de métal dans le four à micro-ondes. (placez / placer)

2. Surtout n'en .... à personne. (parlez / parler)

3. .... la sieste est excellent pour la santé. (Faire / Faites)

4. Partir, c'est .... un peu. (mourir / mourez)

5. .... et reviens vite. (Pars / Partir / Partez)

6. En cas d'absence, ...-vous au gardien. (adresser / adressez)

7. .... de notre offre spéciale. (Profiter / Profitez)

8. ....-moi si vous avez un problème. (Appeler / Appelez / Appelle)

9. Introduire une pièce, puis .... votre boisson. (choisir / choisissez)

10. N'........................... pas d'éteindre en sortant. (oublier / oubliez)

2) Discours rapporté / impératif

Écoutez et dites quel enregistrement correspond à chaque phrase :

a. Il m'a ordonné de venir. → Enr. n° ....

b. Il m'a autorisé à rentrer à la maison. → Enr. n° ....

c. Elle m'a conseillé de prendre la robe noire. → Enr. n° ....

d. Il m'a proposé d'aller prendre un café. → Enr. n° ....

e. Elle m'a demandé de lui prêter 100 euros. → Enr. n° ....

f. Il m'a interdit de fumer dans son bureau. → Enr. n° ....

g. Il m'a suggéré de prendre le TGV. → Enr. n° ....

h. Il m'a demandé un café. → Enr. n° ....

i. Il m'a ordonné de prendre le TGV. → Enr. n° ....

j. Il m'a proposé de rentrer chez moi. → Enr. n° ....

3) Impératif

Complétez la recette ci-dessous en utilisant les verbes suivants à l'impératif : *faire dorer, remuer, casser, ajouter, arrêter, couper, faire fondre, mélanger, verser, battre.*

— Œufs brouillés —

Ingrédients :
4 œufs
10 cl de lait
1 petit oignon
1 cuiller à soupe de beurre
1 cuiller à soupe de ciboulette

1. .... les œufs un par un dans un saladier. ....-les avec un fouet.

2. .... le lait et la ciboulette. .... encore.

3. .... l'oignon en fines tranches. .... doucement le beurre dans une casserole à fond épais. .... les oignons.

4. Quand les oignons sont transparents, ... la préparation du saladier dans la casserole. .... doucement avec une spatule en bois.

5. .... la cuisson quand les œufs sont fermes.

4) Impératif

Écoutez et complétez la recette à l'aide des verbes qui conviennent :

— Lapin en gibelotte —

Ingrédients :
1 lapin
200 grammes de lardons
300 grammes de champignons
12 petites pommes de terre
50 cl de bon vin blanc
25 cl de bouillon
40 g de beurre
40 g de farine
3 oignons
1 bouquet garni

1. .... le lapin en morceaux.

2. .... les morceaux dans la farine.

3. Dans une poêle, ... sauter les oignons et les lardons avec le beurre.

4. .... griller à part les morceaux de lapin et ....-les avec les oignons et les lardons.

5. .... avec le bouillon et le vin blanc, ... le bouquet garni et .... cuire pendant vingt minutes à feu doux.

6. Pendant la cuisson, ... les champignons et les pommes de terre.

5 Oral / écrit

Écoutez la conversation et complétez la lettre en fonction de vos goûts et des possibilités offertes :

Marie-Jeanne Chapuis
42, faubourg des Ancêtres
90 000 Belfort

                       Agence de voyages
                       Orenga Tourisme
                       18, rue du cardinal Fesch
                       20 000 Ajaccio

Madame, Monsieur,

Suite aux informations communiquées par le syndicat d'initiative d'Ajaccio, je souhaiterais effectuer une réservation pour quatre adultes et trois enfants. Nous avons choisi la formule suivante :

• Lieu : Porticcio
• Hôtel : ....
• Coût de l'hébergement et du voyage / personne : ....

Nous souhaitons également nous inscrire aux activités et manifestations culturelles suivantes :
• Activités :
* – adultes : ....*
* – enfants : ....*
• Manifestations culturelles : ....
..

Conformément aux indications de la documentation, je vous adresse un chèque d'un montant de 450 euros à titre d'avance pour réservation.

En vous remerciant, je vous prie d'agréer, Madame, Monsieur, mes salutations distinguées.

                       Marie-Jeanne Chapuis

---

6) Impératif

À partir des ingrédients suivants, rédigez une recette de salade et donnez-lui un nom :

- 1 botte de radis
- 6 feuilles de menthe
- 4 tomates mûres
- le jus d'un demi-citron
- 4 cuillers à soupe d'huile d'olive

....

....

....

....

Nom de la salade : ....

7) Oral / écrit

Écoutez la conversation et écrivez la carte postale qui correspond :

Firenze

Chers Bernard et Claudine,
Nous sommes à ....

....

....

....

....

....

....

ITALIA € 0,62

© Conti edizioni - *Milano*

Foto di Paolo Rossetti

8) Impératif

Reformulez ces conseils culinaires en utilisant l'impératif :

1. Un riz incollable

Pour que le riz ne colle pas durant sa cuisson, il suffit de verser dans la casserole un filet d'huile d'olive.

....

....

2. Douche écossaise pour salade

Si une salade paraît flétrie, il faut lui redonner un peu de fraîcheur en la mettant dans de l'eau chaude avant de la tremper dans un bain d'eau froide.

....

....

3. Longue vie aux fruits !

Pour prolonger la vie des pommes et des poires, il convient de poser les premières à l'envers et de placer les poires la queue en l'air.

....

....

4. Comme le lait sur le feu...

Pour que le lait n'accroche plus aux casseroles, il suffit de les rincer à l'eau froide avant de verser le lait.

....

....

5. Huile et sel

Si vous voulez empêcher l'huile de s'abîmer, il faut ajouter une pincée de sel fin dans la bouteille.

....

....

9) Consignes

a) Écoutez les deux premiers enregistrements et remettez les consignes dans l'ordre :

Enregistrement n° 1 :

1. Faites votre code personnel à l'abri des regards.
2. Retirez les billets.
3. Trouvez un distributeur automatique.
4. Retirez la carte.
5. Introduisez votre carte.

Enregistrement n° 2 :

1. Choisissez votre boisson.
2. Retirez le gobelet.
3. Attendez que votre boisson se prépare.
4. Prenez votre monnaie.
5. Introduisez les pièces (cette machine rend la monnaie).

b) Écoutez maintenant le troisième enregistrement et écrivez les consignes :

Enregistrement n° 3 :

1. ....
2. ....
3. ....
4. ....
5. ....
6. ....
7. ....

10) Nominalisation

Écoutez et trouvez quel enregistrement correspond à chaque titre de journal :

Titres de journaux

a. Grève des marins pêcheurs à l'île de Ré.   → Enr. n° ....

b. Victoire de l'équipe de France contre l'Écosse : 4 à 0.   → Enr. n° ....

c. Envolée des prix après trois mois de blocage.   → Enr. n° ....

d. Disparition d'un navire au large de l'Islande.   → Enr. n° ....

e. Déception après la parution du dernier livre de Max Nord.   → Enr. n° ....

f. Visite du Premier ministre dans une banlieue.   → Enr. n° ....

g. Démolition de l'ancien marché : un an de retard dans les travaux.   → Enr. n° ....

11) Liaisons

Écoutez et soulignez les liaisons que vous avez entendues :

L'Italie, c'est une bonne idée pour un week-end. Si vous avez trois jours libres, vous pouvez choisir cet itinéraire. Vous arrivez à Rome le vendredi soir, vous y passez la journée du samedi et vous y restez jusqu'au dimanche midi. Vous allez ensuite à Florence où vous avez une visite de la ville et de la galerie des Offices l'après-midi. Le lundi, vous avez deux possibilités : une excursion en Toscane est organisée, elle vous permettra de découvrir des paysages magnifiques et les spécialités locales, mais vous pouvez aussi passer la journée à flâner dans la ville. Votre avion pour Paris est à 20 heures.

Séquence 3

Reprise, anticipation

1) À / au / en

Complétez en choisissant l'expression qui convient :

1. Le sommet franco-allemand aura lieu à ....
   (Berlin / Allemagne / Madrid)

2. Je suis allée en ...., je t'ai rapporté du café.
   (Pérou / Colombie / Pologne)

3. Il est retourné aux ....
   (États-Unis / Équateur / Cuba)

4. Au ...., la monnaie, c'est le dirham.
   (Tunisie / Maroc / Algérie)

5. Si tu vas à ...., n'oublie pas de visiter le Pain de Sucre.
   (Berlin / Paris / Rio)

6. J'ai vu une très belle exposition au musée d'Art moderne, à ....
   (Espagne / Madrid / Hollande)

2) Articles

Complétez avec l'article qui convient :

1. Vous avez lu .... dernier livre d'Amélie Nothomb ?

2. Je voudrais acheter .... téléphone-répondeur, pas trop cher, sans fil.

3. Tu as vu .... enfants de Carole ? Ils sont très sympas.

4. Vous auriez .... magazine de rap ?

5. Anne-Lise, c'est .... fille d'une actrice connue.

6. Vous avez .... magazine *Voici* ?

7. Tu as vu .... fille qui est à côté de Charles ?

8. Je voudrais .... huîtres, deux douzaines.

9. Tu as rencontré .... traductrice de Carlos Fuentes ?

10. Vous connaissez .... patron ?

11. J'aime bien .... disque de Manu Chao.

12. Vous auriez .... films de Hitchcock ?

3) C'est un / c'est une ; il est / elle est

Complétez avec l'expression qui convient :

1. Tu connais Marcel Marchand ? Mais si, ... copain de Gilles, ...

grand, ... brun, il a des lunettes.

2. J'ai rencontré une amie de Claire, ... danseuse de flamenco, ... super sympa.

3. Je vous présente Marc, ... architecte anglais, il a 40 ans, ... marié, il va travailler avec nous.

4. Maria, ... grande, elle a les cheveux blonds, ... italienne.

5. Jacques, ... ami de Daniel.

6. Gianni, ... français, il a 35 ans, il est brun, ... homme charmant.

4) Chiffres et nombres

Écoutez et complétez avec les nombres que vous avez entendus :

1. .... euro, c'est cher pour une salade.

2. Je te donne mon numéro de téléphone : ....

3. Pour aller à Stockholm, il y a .... km.

4. Vous avez gagné .... euros.

5. Voilà votre code : ....

6. Le premier tirage du loto de ce mercredi : .... Numéro complémentaire : ....

7. Votre billet, ça fait .... euros.

8. Ne quittez pas, je vous donne le numéro du siège central : ....

5) Liaisons

a) Soulignez les liaisons obligatoires et faites une croix pour les liaisons facultatives :

EXEMPLE ● *Ils͜ ont deux enfants, ils sont͜ allemands.*
                                          ✕

1. Ce matin, Jeanne est allée à l'école.

2. Vous avez du feu ?

3. Vous êtes italienne ?

4. Ne vous énervez pas, le train est à l'heure.

5. Ce jeu, c'est assez difficile.

6. Elle est à toi, cette chanson...

7. Vous aimez le cinéma ?

8. Jacques est absent ?

b) Maintenant, écoutez et comparez avec vos réponses.

6) Aussi / non plus

Complétez en choisissant *aussi* ou *non plus* :

1. – Tu as reçu ta feuille d'impôts ?

– Non.

– Moi ...., c'est bizarre.

2. – Vous parlez italien ?

– Oui.

– Moi ...., je suis née à Gênes.

3. – Alain n'est pas venu ce matin.

– Paul ...., il paraît qu'il est malade.

4. – Vous voulez un café ?

– Avec plaisir.

– Moi ....

5. – Tu as vu le dernier film d'Almodovar ?

– Oui.

– Tu as aimé ?

– Oui, beaucoup et toi ?

– Moi ...., c'est son meilleur film.

6. – Tu es déjà allé en Papouasie ?

– Non, et toi ?

– Moi .... mais je le regrette car c'est un pays que j'aimerais connaître.

7) Possessifs

Complétez avec les possessifs qui conviennent :

1. Alain, c'est .... frère ? (ton / vos / ta)

2. .... voiture est garée tout près d'ici. (votre / son / ma)

3. Je vous présente .... parents. (vos / mes / mon)

4. .... amies sont anglaises. (leurs / mon / leur)

5. Marcel est allé au commissariat, on lui a volé .... papiers. (ses / son / leur)

6. Je vous rends .... papiers. (vos / votre / leur)

7. Tu peux me prêter .... livre ? (leurs / ton / votre)

8. Il fait chaud, enlevez .... manteau. (son / ton / votre)

9. Aline est furieuse, ... amis sont arrivés avec trois heures de retard. (votre / ses / leur)

10. Je cherche .... agenda. (leur / mon / nos)

11. Jacques, j'ai rencontré .... frère hier. (mon / ma / son)

12. J'ai perdu .... clés, tu ne les as pas vues ? (ma / ses / mes)

8) Raconter une journée

Remettez les actions dans l'ordre logique :

1. À 8 heures, j'ai emmené les enfants à l'école et je suis arrivé au bureau à 9 h 30.
2. Comme Brigitte allait chercher les enfants, je suis allé au cinéma.
3. Je me suis levé à 7 heures.
4. Puis j'ai regardé la télévision.
5. J'ai quitté le bureau à 5 heures.
6. J'ai pris une douche.
7. J'ai déjeuné à la cantine.
8. J'ai travaillé toute la journée.
9. Ensuite, j'ai préparé le petit déjeuner.
10. Je suis rentré à 10 heures.

9) Chronologie

Écoutez et complétez l'agenda de Jeanne :

LUNDI	MARDI	MERCREDI	JEUDI	VENDREDI	SAMEDI	DIMANCHE	NOTES
8	8	8	8	8	8	8	
9	9	9	9	9	9	9	
10	10	10	10	10	10	10	
11	11	11	11	11	11	11	
12	12	12	12	12	12	12	
13	13	13	13	13	13	13	
14	14	14	14	14	14	14	
15	15	15	15	15	15	15	
16	16	16	16	16	16	16	
17	17	17	17	17	17	17	
18	18	18	18	18	18	18	
19	19	19	19	19	19	19	
20	20	20	20	20	20	20	
21	21	21	21	21	21	21	

10) Itinéraire

Choisissez les prépositions qui conviennent pour expliquer cet itinéraire :

Pour aller (sur / à / à côté de) .... la poste, vous prenez la première rue à droite
et vous allez arriver (sur / en face d' / au-dessus de) .... un cinéma. Vous tournez
encore (tout droit / à droite / à côté) ...., vous faites 200 mètres environ et c'est
(sous / sur / à côté) .... votre gauche.

11 Verbes de mouvement

Complétez en utilisant *aller, venir, revenir, retourner, rentrer* :

1. L'année dernière, nous sommes allés en Grèce à Pâques et nous aimerions y .... cette année.

2. Je ne me sens pas bien, je crois que je vais .... à la maison.

3. Je dois envoyer un paquet à Émilie, je .... à la poste, je .... dans une demi-heure.

4. Alexandre, il .... du Ghana.

5. Monsieur Ducrut n'est pas là ? Je voulais le voir, je .... demain.

6. J'ai oublié d'acheter de la moutarde, je .... à l'épicerie.

7. Tu pars ce soir à New York ? Tu .... quand ?

8. J'ai quitté mon pays à 10 ans et à 40 ans, je suis enfin .... chez moi.

12 Subjonctif

Complétez en choisissant l'expression qui convient :

1. – Je n'ai plus d'argent, je ne peux pas finir le mois.

– Il faut que .... des économies. (tu fais / tu fasses)

2. Je souhaiterais que .... à l'heure. (vous arrivez / vous arriviez)

3. Il faudrait que .... à la maison un jour. (vous passiez / vous passez)

4. J'aimerais qu'................................. assez tôt. (il parte / il part)

5. Il faudra que .... avec lui. (vous parlez / vous parliez)

6. J'aimerais que .... plus gentil avec ta sœur. (tu es / tu sois)

7. Vous souhaitez que Julie .... avec nous ? (vient / vienne)

1) Itinéraire

Écoutez et prenez des notes pour vous souvenir de l'itinéraire indiqué :

....

....

....

....

....

....

2) Itinéraire

Écoutez et prenez des notes pour vous souvenir de l'itinéraire indiqué :

....

....

....

....

....

3) Biographie

Écoutez et complétez le document ci-dessous :

1951 : ....

1954 : ....

1978 à 1983 : ....

1992 : ....

1996 : ....

1999 : ....

2002 : ....

Écoutez et, à partir de l'enregistrement et de la notice biographique ci-dessous, rédigez une biographie de ce personnage célèbre :

Notice biographique

Alberto Santos-Dumont : le plus parisien des Brésiliens

20 juillet 1873 : naît à São Paulo (Brésil).
Fait des études d'ingénieur - S'installe à Paris.
1898 : pilote son premier dirigeable, construit par lui-même.
1906 : crée le Santos n° 14 bis (avion).
1909 : crée La Demoiselle (avion monoplan).
13 septembre 1909 : parcourt 8 kilomètres en avion, de Saint-Cyr à Bue, en cinq minutes.
1910 : obtient des brevets de pilote de ballon libre, de dirigeable, de monoplan et de biplan.
Se retire de la vie aéronautique après avoir accompli ses rêves.
1932 : meurt à São Paulo.

....

....

....

....

....

5 Décrire

a) Associez un dessin avec un texte de carte postale :

1.

2.

3.

4.

Texte a : repos, soleil, pétanque, c'est les vacances dont je rêvais.

Texte b : musées et ruines, ruines et musées, vacances hyper fatigantes, j'ai hâte de rentrer pour me reposer !

Texte c : croisière de rêve sous les tropiques, c'est comme dans les publicités ! Pas envie de rentrer et de retrouver la grisaille.

Texte d : vacances toniques ! À part les moustiques et quelques ennuis de santé, on profite un maximum de ce pays. J'aurai plein de choses à vous raconter.

Dessin	1	2	3	4
Texte				

b) Écrivez maintenant une carte postale en vous inspirant du dessin ci-dessous :

....
....
....
....
....
....
....
....
....

6) Verbes du discours rapporté

Complétez en choisissant le verbe qui convient :

1. Jacques vient de passer, il m'.................................... qu'il y aurait une coupure d'électricité à partir de 13 heures.
(a averti / a promis / a proposé)

2. Je vous .... de vous rappeler si nous avons besoin de vous.
(encourage / promets / préviens)

3. Il m'.. de lui envoyer mon CV.
(a refusé / a renoncé / a proposé)

4. Marie-Claude n'était pas d'accord avec le directeur. Elle .... sa décision.
(a approuvé / a critiqué / a félicité)

5. Nous devons .... le compte-rendu de la séance précédente.
(annoncer / approuver / renoncer)

6. L'actrice Jane Sydney .... son mariage avec Santos Taylor.
(a interdit / a renoncé / a annoncé)

7. Le Premier ministre .... qu'il était difficile de généraliser la semaine de 35 heures.
(a refusé / a reconnu / a conseillé)

8. Ma sœur m'...................................... à passer le permis de conduire ; d'après elle, ce n'est pas difficile.
(a approuvé / a interdit / a encouragé)

9. Depuis hier, le directeur nous .... de fumer.
(encourage / interdit / approuve)

10. Je n'arrive pas à savoir ce que veut Jean-Luc, je .... à comprendre.
(nie / reconnais / renonce)

7 Questions sur un texte

Lisez le texte et répondez aux questions :

Depuis très longtemps la jeunesse est une source d'intérêt et en même temps, elle pose problème à la société installée. Au 19e siècle, la jeunesse n'existait pas, on passait rapidement de l'enfance à l'âge adulte par le travail. Depuis les années 60, et plus particulièrement depuis 1968, la jeunesse s'est émancipée[1], les droits des jeunes existent d'une manière autonome et la société de consommation cible[2] les jeunes. Mais existe-t-il une jeunesse homogène[3] qui se reconnaît dans ce fait ? Non, la jeunesse n'est pas un groupe homogène, les jeunes entrent dans l'adolescence plus tôt et passent à l'âge adulte plus tard, mais à part ce phénomène, ce qui domine ce sont les clivages[4] sociaux. Il faut donc constater que la mondialisation n'a pas rendu la jeunesse homogène.

1. *S'émanciper : se libérer, devenir plus indépendant.*
2. *Cibler : choisir comme public privilégié.*
3. *Jeunesse homogène : groupe constitué de jeunes qui ont les mêmes caractéristiques, les mêmes pratiques, les mêmes valeurs.*
4. *Clivage : séparation, rupture.*

	Vrai	Faux
1. La jeunesse s'oppose à la société installée.	❏	❏
2. Il y a eu un changement au 19e siècle.	❏	❏
3. Au 19e siècle, la jeunesse n'était pas un moment reconnu dans la vie.	❏	❏
4. Le changement a eu lieu dans les années 60.	❏	❏
5. La jeunesse est un groupe qui a des droits.	❏	❏
6. La jeunesse est une classe sociale qui a une homogénéité.	❏	❏
7. Il n'y a pas de clivages dans la jeunesse.	❏	❏
8. Parmi la jeunesse, il y a des groupes sociaux distincts.	❏	❏
9. La mondialisation a fait de la jeunesse un groupe homogène.	❏	❏

Lisez le courrier de Laurent Jacob, écoutez la conversation et rédigez la lettre de réponse en vous aidant du schéma proposé page 24 de votre manuel :

Saint-Genis-Laval, le 04-02-2002

Laurent Jacob
9, rue Nungesser-et-Coli
69 230 Saint-Genis-Laval

Monsieur Gabriel Raymondi
Directeur
Imprimerie Dorval
137, boulevard Gallieni
69 007 Lyon

Monsieur le directeur,

Étudiant en deuxième année de Sciences économiques, je suis à la recherche d'un emploi d'été.

J'ai lu dans Rhône Infos une petite annonce précisant que vous recrutez du personnel temporaire pour effectuer des travaux de manutention et de livraison. Je suis disponible pendant les mois de juillet, août et septembre et je serais très heureux de travailler dans votre entreprise durant cette période de l'année.

Veuillez agréer, Monsieur le directeur, l'expression de mes salutations distinguées.

P.S. : je suis le neveu de Monsieur Raymond Jacob qui est employé dans votre entreprise et qui m'a conseillé de vous écrire.

Laurent Jacob

Imprimerie Dorval
137, boulevard Gallieni
69 007 Lyon

Lyon, le 14 / 02 / 2002

Monsieur Laurent Jacob
9, rue Nungesser-et-Coli
69 230 Saint-Genis-Laval

Monsieur,

....
....
....
....
....
....
....
....

Gabriel Raymondi
Directeur

9) Formuler un refus par écrit

Écoutez et rédigez la lettre de réponse adressée à Jean-Nicolas Robert :

Institut du Développement Personnel
2, rue du Moulin
30 600 Vauvert
Le directeur

Vauvert, le 02 / 09 / 2002

à Monsieur Jean-Nicolas Robert
12, passage des Vents
42 000 Saint-Étienne

Monsieur,

....
....
....
....
....
....
....

Romuald Jacousy

Parcours 2

Séquence 5

Relativité

1) Indicateurs de temps

Écoutez et dites quel enregistrement correspond à chaque information :

a. Le salon sera fermé du 2 au 17 août. → Enr. n° ....

b. Les pluies arriveront par l'Ouest ; sur la Bretagne, violentes averses jusqu'à jeudi. Légère amélioration à partir de vendredi. → Enr. n° ....

c. À partir du 5 septembre, le prix du timbre sera de 0,80 €. → Enr. n° ....

d. Le cabinet du docteur Jarry sera fermé jusqu'au 18 juillet. En cas d'urgence, appeler le 08 76 54 90 55. → Enr. n° ....

e. Travaux sur l'autoroute A 56 entre le 2 et le 7 juillet. Déviation par la RN 24. → Enr. n° ....

f. Pour voter par procuration, adressez-vous au commissariat de votre quartier deux semaines avant la date de l'élection. → Enr. n° ....

2) Avant / après

Continuez la phrase en choisissant l'expression qui convient :

1. Je n'ai plus le temps d'aller à la piscine ;
❑ avant, j'y allais trois fois par semaine.
❑ avant, j'y suis allé souvent.
❑ avant, je n'y allais jamais.

2. Jusqu'à la semaine dernière, je me déplaçais en voiture ;
❑ maintenant, j'achète un vélo.
❑ maintenant, je fais du vélo.
❑ jeudi, je fais du vélo.

3. J'ai quitté mon appartement la semaine dernière ;
❑ hier, j'achetais une maison.
❑ aujourd'hui, j'ai déménagé.
❑ maintenant, j'habite à la campagne.

4. Je n'ai plus beaucoup d'argent ;
❑ avant, j'avais un bon salaire.
❑ maintenant, j'ai eu un bon salaire.
❑ avant, j'avais peu d'argent.

5. Je ne joue plus au Loto ;
❑ je vais jouer demain.
❑ avant, je jouais toutes les semaines.
❑ avant, j'ai joué une fois.

6. Avant, c'était facile de trouver du travail ;
- ❑ maintenant, il y a beaucoup de travail.
- ❑ maintenant, ce n'est pas évident.
- ❑ maintenant, il y a moins de chômage.

7. Avant, il était toujours malade ;
- ❑ maintenant, il a la grippe.
- ❑ maintenant, il est en arrêt maladie.
- ❑ maintenant, il est en pleine forme.

8. René est à la retraite ;
- ❑ il travaille dans une maison de retraite.
- ❑ avant, il travaillait dans une compagnie d'assurances.
- ❑ auparavant, il n'a jamais travaillé.

3) Accompli / non accompli

Dites si l'action est finie ou si elle continue :

	L'action est finie	L'action continue
1. J'ai habité à Lyon pendant deux ans.	❑	❑
2. Marc est absent depuis huit jours.	❑	❑
3. Nadine a été malade pendant longtemps.	❑	❑
4. J'ai enfin une voiture depuis la semaine dernière.	❑	❑
5. J'ai vu Annie il y a une semaine.	❑	❑
6. Alain et Jacques sont arrivés depuis deux jours.	❑	❑
7. Jeanne est encore malade, elle n'est pas venue travailler.	❑	❑
8. Je suis allée à Paris mercredi dernier.	❑	❑
9. Je connais Tony depuis des années.	❑	❑
10. Il a été élu président le 14 avril.	❑	❑

4) Antériorité / postériorité

Faites correspondre les deux éléments de chaque phrase :

1. Hier, j'étais à Bruxelles

2. Mardi, je pars à Lyon

3. Dans deux jours, j'aurai ma voiture

4. Hier, il a plu toute la journée

5. J'ai dîné avec Paul samedi dernier

6. La semaine prochaine, je serai en vacances

7. Il y a huit jours, c'était le 8 mai, c'était férié

8. Dans quatre jours, j'aurai fini ce travail

a. et le lendemain, je serai à Marseille.

b. et avant-hier, il a neigé.

c. et la semaine suivante, je ne travaillerai pas avant jeudi.

d. et la veille, j'avais déjeuné avec sa fille.

e. et la semaine suivante, je commencerai à travailler sur un nouveau projet.

f. et le lendemain aussi, c'était l'Ascension.

g. et la semaine prochaine, je pourrai partir en vacances.

h. et avant-hier à Amsterdam.

1	2	3	4	5	6	7	8

5) Indicateurs de temps

Complétez les phrases en utilisant *il y a / depuis / ça fait* :

1. Je connais Marcel .... des années.

2. Vous l'avez rencontré .... cinq ans ?

3. Je n'ai pas téléphoné à Maria .... le 14 juillet.

4. Jacques a déménagé .... un an.

5. .... trois ans que j'ai mon permis de conduire.

6. .... deux semaines, il ne pleut plus.

7. .... une éternité que je n'ai pas vu Sandra.

8. J'habite à Besançon .... quatre ans.

9. Vous avez une carte de séjour .... quand ?

10. Il est sorti .... longtemps ?

6) Avant...

Écoutez, lisez les affirmations qui suivent et indiquez ce qui correspond à chaque personne :

	Personne 1	Personne 2	Personne 3
1. Le centre-ville était plus vivant.	❑	❑	❑
2. La ville était plus calme.	❑	❑	❑
3. Il n'y avait pas de problèmes de stationnement.	❑	❑	❑
4. Les gens sortaient le vendredi soir et il y avait de l'ambiance dans les cafés.	❑	❑	❑
5. Les gens étaient plus proches.	❑	❑	❑
6. Il y avait beaucoup de spectacles.	❑	❑	❑
7. Il y avait moins de pollution.	❑	❑	❑
8. On pouvait se déplacer à vélo en toute sécurité.	❑	❑	❑
9. Je connaissais tous les petits commerçants.	❑	❑	❑
10. On allait plus souvent au restaurant.	❑	❑	❑
11. Les gens se parlaient plus facilement.	❑	❑	❑

7 Durée

Écoutez et dites si ce qui est évoqué dure longtemps ou non :

	Ce qui est évoqué dure longtemps	Ce qui est évoqué ne dure pas longtemps
1		
2		
3		
4		
5		
6		
7		
8		
9		
10		

8 Fréquence

Écoutez et dites quel enregistrement correspond à chaque phrase :

a. Il va très rarement au cinéma. → Enr. n° ....
b. Depuis plusieurs années, il ne mange plus de viande. → Enr. n° ....
c. Elle va souvent à Paris pour son travail. → Enr. n° ....
d. Elle fait du sport plusieurs fois par semaine. → Enr. n° ....
e. Il regarde la télévision très souvent. → Enr. n° ....
f. Il ne regarde presque jamais la télévision. → Enr. n° ....
g. Ils vont souvent au restaurant. → Enr. n° ....
h. Je lis parfois les livres à succès. → Enr. n° ....
i. Ils ne vont jamais aux réunions politiques, ça les ennuie. → Enr. n° ....
j. Elle fait du vélo tous les jours, elle pense que c'est bon pour la forme. → Enr. n° ....

9 Production écrite : la fréquence

Rédigez un texte court sur les pratiques culturelles des Français à partir de l'enquête suivante :

1. Les Français lisent :
- aucun livre — 40 %
- un livre par mois — 30 %
- deux livres par mois — 20 %
- plusieurs livres par mois — 10 %

2. Les Français vont au cinéma :
- une fois par an — 34 %
- une fois par mois — 22 %
- deux fois par mois — 12 %
- plusieurs fois par mois — 17 %

3. Sur une année, les Français vont au moins une fois :

- à un concert de rock ou de jazz   13 %
- à un concert de musique classique   9 %
- à l'Opéra   3 %

4. Sur une année, les Français se rendent au moins une fois :

- dans un musée   33 %
- dans un monument historique   30 %
- à une exposition temporaire   25 %
- au théâtre   16 %
- au cirque   13 %

....
....
....
....
....
....

10) Orthographe : graphie du son [ã]

Complétez en utilisant *en / an / ent / ant / em / am / amp / emp / ens* :

Je suis parti passer quelques jours de vac...............ces dans le petit village où j'ai vécu
enf............... . Il y avait très longt...............s que je n'y étais pas retourné. J'ai trouvé que tout
avait bien ch...............gé.

Là où s'ét...............daient des ch...............s, il y a mainten............... des immeubles. Lorsque
j'étais petit, il y avait encore quelques pays...............s et j'allais chercher le lait à la ferme.
Aujourd'hui, tout cela est terminé. Le lait ? on l'achète au supermarché, sous ....ballage
cartonné !

L'agitation et le mouvem............... de la ville ont gagné la c...............pagne. Sur la place du
village, un parking a r...............placé la terrasse du café où les g............... se
r...............contraient les soirs d'été.

Le nombre d'habit...............s a considérablem............... augm...............té, bien sûr, mais il me
s...............ble que le village a perdu son âme. C'est en éprouv............... ce sentim............... de
nostalgie que je m'aperçois que le t...............s, beaucoup de t...............s, a passé.

Séquence 6

Chronologie

1) Imparfait / plus-que-parfait

Dites si c'est l'imparfait ou le plus-que-parfait qui est employé :

	Imparfait	Plus-que-parfait
1. Excuse-moi, je ne t'avais pas vu !	❑	❑
2. Il était très pressé.	❑	❑
3. Elle n'avait pas pensé à lui depuis longtemps.	❑	❑
4. Il y avait dix ans qu'il était à Paris quand il a rencontré Emma.	❑	❑
5. Il y avait beaucoup de monde, je n'ai pas trouvé Marie.	❑	❑
6. J'ai essayé de joindre Jean-Marie mais j'avais oublié son numéro de portable au bureau.	❑	❑
7. Paul était très inquiet hier.	❑	❑
8. Il avait acheté une très belle maison dans le Sud juste avant son mariage.	❑	❑
9. Alice voulait faire un voyage pour ses 15 ans.	❑	❑
10. Marie s'était vraiment bien amusée pendant cette soirée.	❑	❑

2) Antériorité / simultanéité / postériorité

Complétez avec *avant / pendant / après* selon le sens des phrases :

1. Hier, j'ai assisté à une conférence. Il faisait tellement chaud qu'une personne s'est évanouie
.... la conférence et il a fallu appeler les pompiers.

2. .... les vacances de Noël, je suis allé faire du ski, je me suis cassé les deux
jambes et .... j'ai dû rester deux mois à la maison.

3. J'ai vu Jeanne hier, on a déjeuné ensemble et .... on est allé au cinéma.

4. .... le mois de mars, vous ne pouvez pas vous inscrire, les inscriptions commen-
ceront le 4 mars.

5. Vous êtes priés d'éteindre vos téléphones portables .... le début de la séance.

6. Le magasin sera fermé .... les travaux.

7. Un apéritif sera servi .... la présentation de l'exposition.

8. J'ai fait un régime super : .... la première semaine, je n'ai mangé que de la
viande et du poisson, la deuxième semaine que des légumes et .... j'ai repris
une alimentation normale. J'ai perdu 4 kilos !

3 Accords du participe passé

Dites si le pronom en gras représente un homme, une femme ou plusieurs personnes :

	Homme	Femme	Plusieurs personnes
1. Elle **m**'a appelé.	❏	❏	❏
2. Il ne **vous** a pas saluée ?	❏	❏	❏
3. Il **vous** a reconnus ?	❏	❏	❏
4. Tu te souviens, je **t**'ai rencontrée à Acapulco.	❏	❏	❏
5. Je **vous** ai vu à l'Opéra.	❏	❏	❏
6. Vous **l**'avez bien connue ?	❏	❏	❏
7. Je **vous** ai déjà appelée la semaine dernière.	❏	❏	❏
8. Elle **vous** a aidés ?	❏	❏	❏
9. Il **vous** a salué ?	❏	❏	❏
10. Il **t**'a embrassée ?	❏	❏	❏

4 Indicateurs de chronologie

Complétez en utilisant des indicateurs de chronologie (vous pouvez vous aider des tableaux pages 11 et 51 de votre manuel) :

1. Annoncée pour le 15 mai, puis pour le 15 juillet, c'est finalement .... que sera inaugurée la nouvelle autoroute.

2. Monsieur Girods est nommé directeur de notre filiale du Mans. ...., il en avait été le sous-directeur.

3. L'année dernière, la fête de Pâques tombait fin mars ; ...., elle aura lieu début avril.

4. ...., il y a un film américain. ...., c'est un magazine d'information. Puis, ..., il y a une retransmission du match de rugby France-Écosse.

5. Il a fait beau .... Mais ça va se gâter : ...., la météo annonce de gros orages sur toute l'Auvergne. ...., il y aura quelques éclaircies mais le beau temps ne reviendra pas ....

6. Voici le programme de notre animation *Planète vacances* : ...., activité skate et rollers pour les plus jeunes. ...., animation théâtre : lecture de textes, improvisation, etc. ...., excursion à Plessis-les-Tours. Et, ..., tout le monde se retrouve pour notre grande soirée dansante.

7. Le Premier ministre était en visite dans notre ville .... Il a .... rencontré le maire et toute l'équipe municipale. ...., il s'est rendu dans le quartier des Tonnelles pour inaugurer le nouveau marché couvert. La cérémonie, très conviviale, a duré ...., le Premier ministre a tenu une réunion de travail avec les représentants des différentes associations .... de quitter notre ville ....

5) Lettre d'excuse

Remettez les textes suivants dans l'ordre :

1. a. Ensuite, je l'ai emmenée au restaurant pour qu'elle se calme et elle est venue passer la nuit à la maison.

b. Elle venait de rentrer chez elle et elle avait été cambriolée. Alors, je suis allée la rejoindre. Le temps d'appeler la police, de faire la déclaration, ça m'a pris deux heures.

c. Excuse-moi pour hier, je voulais passer à la soirée chez Alfred, mais à 6 h, quand j'allais partir du travail, j'ai reçu un coup de fil de ma mère.

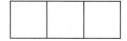

2. a. Je devais rentrer le matin de Madrid. Mon vol a eu un retard de trois heures et je n'ai pu arriver au bureau qu'à 4 h.

b. Encore toutes mes excuses et contactez-moi pour que nous puissions fixer un autre rendez-vous. Cordialement.

c. Je suis désolée de n'avoir pas pu vous recevoir mardi à 14 heures comme convenu.

3. a. On remet ça à la semaine prochaine. Je te téléphone ce week-end.

b. Je suis désolée de ne pas pouvoir déjeuner avec toi aujourd'hui.

c. Je suis obligée de partir à Paris pour régler un problème de travail.

4. a. Je vous prie de bien vouloir m'excuser de ne pas pouvoir y assister.

b. J'ai bien reçu votre invitation pour la soirée du 3 mars et je vous en remercie.

c. Je serai en voyage à cette date. Meilleures salutations.

6) À vous !

Rédigez un mot d'excuse à partir des situations qui suivent (vous pouvez comparer vos productions avec les propositions faites dans les corrigés) :

1. Vous envoyez un fax à un(e) ami(e) pour vous excuser : vous ne pourrez pas aller le (la) chercher à la gare à son arrivée dans votre ville.

....

....

....

2. Vous laissez un message téléphonique pour vous excuser auprès d'un(e) ami(e) qui vous a demandé de lui rendre un livre que vous n'avez pas.

....

....

....

3. Vous laissez sur la porte de votre appartement un mot d'excuse pour un(e) ami(e) avec qui vous aviez rendez-vous à votre domicile. Une obligation professionnelle de dernière minute vous a obligé(e) à partir avant l'heure du rendez-vous.

....

....

....

7 Formes du plus-que-parfait

Complétez les phrases en mettant les verbes entre parenthèses au plus-que-parfait :

1. En 1990, nous (quitter) .... déjà .... Toulouse.

2. L'année dernière, nous (partir) .... en vacances quand il est rentré en France.

3. Tu (rencontrer) .... déjà .... Maurice avant ce soir ?

4. Elle (arriver) .... depuis deux jours quand elle a eu l'accident.

5. Nous (sortir) .... à 7 h, il faisait beau et soudain il y a eu un orage terrible.

6. Vous (renvoyer) .... votre carte de sécurité sociale avant d'entrer à l'hôpital ?

7. Ils (acheter) .... une maison à La Rochelle pour prendre leur retraite.

8. Vous (faire) .... réviser votre voiture avant de partir en vacances ?

9. J'(rencontrer) .... Annie en 1985 et je l'ai revue dix ans plus tard.

10. Il (gagner) .... beaucoup d'argent au loto et il a tout dépensé en deux ans.

8 Vocabulaire : expressions verbales avec le mot *temps*

Complétez les phrases avec les expressions suivantes :

prendre le temps	*avoir le temps*
arriver à temps	*gagner du temps*
laisser du temps	*défier le temps*
passer du bon temps	*faire passer le temps*
perdre son temps	*demander du temps*
tuer le temps	*faire son temps*

1. Excuse-moi de ne pas t'accompagner à la gare : je n'.............. pas .... parce que je dois être au bureau à 8 h 30.

2. Tu travailles trop ! Il faut .... de vivre !

3. Apprendre le français, c'est difficile : cela ....

4. Je ne peux pas te répondre tout de suite. C'est un problème difficile ; il faut me ....

....

5. Les Pyramides sont des monuments qui ....

6. Qu'est-ce qu'on peut faire en attendant le train ? On fait une partie de cartes pour ....

.... ?

7. C'est formidable, l'ordinateur ! Ça me permet de .... dans mon travail.

8. Tu ne me feras pas changer d'avis. Tu .... !

9. Je vais changer de voiture : la mienne ....

10. Nous avons rendez-vous à 17 h. Si nous voulons ...., il faut partir tout de suite.

11. Ah ! ces vacances ! C'était formidable ! Nous ....

avec tous nos amis.

12. Prenons un café en attendant le début du match : ça ....

....

9 Vocabulaire : expressions et proverbes avec le mot *temps*

Faites correspondre chaque expression ou proverbe avec la phrase qui en exprime le sens :

1. La jeunesse n'a qu'un temps.

2. Les temps sont durs.

3. Le temps, c'est de l'argent.

4. C'était le bon temps.

5. Ô ! Temps ! Suspends ton vol !
(Lamartine)

6. Le temps perdu ne se rattrape plus.

7. Avec le temps, va, tout s'en va.
(Léo Ferré)

8. Chaque chose en son temps.

9. Il faut laisser du temps au temps.
(François Mitterrand)

10. Il y a un temps pour tout.

a. Le temps est précieux ; il peut rapporter beaucoup.

b. Il ne faut pas gaspiller son temps à ne rien faire.

c. Il ne faut pas vouloir aller trop vite.

d. Le temps vient à bout de toute chose.

e. Ah ! si le temps pouvait s'arrêter !

f. On n'a pas tous les jours vingt ans...

g. Il faut savoir agir au moment qui convient, ni trop tôt, ni trop tard.

h. L'époque que nous vivons est difficile.

i. Ah ! Je regrette le passé heureux !

j. Il faut savoir travailler quand il faut et s'amuser quand c'est le moment.

1	2	3	4	5	6	7	8	9	10

10 Expression écrite

Complétez l'article ci-dessous en utilisant la banque de mots suivante :

| la jeune voleuse | vers 14 h | Deux passants | se lever | un autre chapeau | sortir |
| s'éloigner | commencer | Une vendeuse | s'asseoir | retentir | rattraper |

Faits divers : *Une irrésistible envie de porter le chapeau[1]...*

Hier, ..., la sonnerie d'alarme .... au rayon *mode* du magasin *Les Galeries du Printemps*. Une jeune fille qui avait volé un chapeau .... dans la rue et .... tranquillement du magasin. .... l'a poursuivie et l'.......................... au bout de quelques dizaines de mètres. .... ont alors aidé l'employée du magasin à reprendre le chapeau à .... Retour forcé au magasin. La jeune fille .... sur le trottoir, devant l'entrée, et elle .... à crier et à pleurer.

Soudain, elle .... et a pénétré de nouveau dans le magasin. Elle en est ressortie quelques minutes plus tard avec ...., d'une couleur différente. Puis elle a disparu dans la foule...

1. *Porter le chapeau : expression qui signifie « être considéré comme coupable de quelque chose. »*

11 Expression écrite

Complétez l'article ci-dessous en utilisant la banque de mots suivante :

la cave	être
de nouveau	en fin d'après-midi
des mesures de sécurité	un incendie de poubelle
la nuit dernière	la semaine dernière
un voisin inquiet	une concierge

Faits divers : *Encore un incendie dans la rue du Limousin*

Les pompiers sont .... intervenus au numéro 14 de la rue du Limousin. .... vers 3 h du matin, ... a une fois de plus éclaté dans .... de l'immeuble. C'est .... devant le nuage de fumée qui sortait du sous-sol qui a donné l'alerte en téléphonant au 18. .... déjà, deux incendies semblables ont eu lieu dans le même immeuble, l'un ...., l'autre au milieu de la nuit.

À la suite de ces incidents, les habitants du quartier avaient fait circuler une pétition pour demander .... : « Il faut que la police organise une surveillance, a déclaré un locataire en colère. Cela ne peut plus durer. Ou bien alors, il faut que l'Office du logement place .... dans l'immeuble. Il y en avait une avant, et nous .... plus tranquilles. »

12 Expression écrite

Écoutez et rédigez un court article racontant ce fait divers :

Collision frontale : un blessé léger

Cette nuit, rue du Vieux Moulin, ...

....

....

....

....

....

....

....

13 Expression écrite

En utilisant les éléments d'information proposés, écrivez un article dont le titre sera *Orages catastrophiques en Isère* :

1. Pluies diluviennes – région Rhône-Alpes – s'abattre / tomber – le département de l'Isère – notamment.

2. Nombreux dégâts – villages inondés – maisons privées d'eau et d'électricité – routes coupées.

3. Agents d'EDF – sapeurs-pompiers du département – intervenir – nuit – toute la journée d'hier.

4. Conseiller – ne pas boire l'eau du robinet – pollution – distribuer – bouteilles d'eau minérale – écoles fermées – pas de transports scolaires.

5. Préfet de l'Isère – situation normale – déclarer – demain ou après-demain.

6. Météo – autres intempéries – semaine prochaine – inquiétude.

....

....

....

....

....

....

....

....

....

....

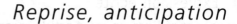
 **1)** Consignes

a) Écoutez et dites quel enregistrement correspond à chaque régime :

Le régime végétarien :

– Mettez de l'originalité et de la variété dans vos menus. Utilisez des épices pour assaisonner les légumes. Pensez à la menthe, à l'aneth, au safran, à la coriandre : ces plantes se marient très bien avec toutes les sortes de légumes.
– Choisissez les fruits et légumes de saison : régalez-vous d'endives en hiver, de tomates en été, de raisins à l'automne.
– Variez les façons de cuisiner : pensez, par exemple, au barbecue pour cuire de très bons légumes : courgettes, aubergines, pommes de terre, etc.
– N'oubliez pas les salades diverses qui permettent de délicieuses variations.
– Fréquentez les marchés pour acheter des légumes toujours frais.

→ Enr. n° ....

Le régime « Sud-Ouest » :

– Profitez de la vie et des bonnes choses ! Cuisinez longuement des plats savoureux : saucisses de Toulouse, confits d'oie ou de canard, foie gras, desserts succulents.
– Faites tout pour que chaque repas soit une fête.
– Consommez régulièrement (mais avec modération) du vin. Préférez le rouge qui est, d'après certains chercheurs américains, bon pour le cœur et les vaisseaux sanguins.

→ Enr. n° ....

Le régime « haricot vert » :

– Préférez le poisson à la viande.
– Si vous aimez la viande, choisissez plutôt la volaille : le blanc de poulet, par exemple, est maigre et peu calorique.
– Mangez beaucoup de légumes.
– En cas de petite faim, prenez un fruit plutôt qu'un biscuit.
– Cuisinez à l'eau. Grillez les viandes.
– Évitez le beurre. Préférez l'huile d'olive, en quantité modérée.
– Évitez le fromage ou alors choisissez des fromages allégés : il en existe d'assez bons. Consommez aussi des yaourts et du fromage blanc à 0 % de matière grasse.
– Buvez de l'eau, du thé, des tisanes.

→ Enr. n° ....

b) Indiquez maintenant lequel de ces trois régimes convient à votre personnalité :

....

c) Rédigez vos recommandations alimentaires personnelles sous forme de consignes :

....

....

....

....

....

....

....

....

2) Comparaisons pour caractériser une personne

Terminez les phrases en utilisant la comparaison qui convient au sens :

1. Le petit-fils de Martine est très intelligent : il est malin
2. Ma copine Julia a de très beaux cheveux et elle est frisée
3. Malgré ses 80 ans, le vieux Marcel est solide
4. Jean-François ne sourit jamais ; il est sérieux
5. Olivier est passé devant moi sans me regarder, droit
6. Gérard pèse 90 kilos de muscles et il est fort
7. Aline ? elle est connue
8. Méfie-toi de Gilbert : il est rusé

a. comme un bœuf.
b. comme le pont Neuf.
c. comme un singe.
d. comme un renard.
e. comme un mouton.
f. comme un pape.
g. comme le loup blanc.
h. comme un « i ».

1	2	3	4	5	6	7	8

3) Nominalisation

Transformez chaque phrase selon le modèle :

EXEMPLE ● *Élimination de l'équipe de France de la Coupe du monde de football par le Danemark.* →
Le Danemark a éliminé l'équipe de France de la Coupe du monde de football.

1. Aménagement par la municipalité de la rue Ambroise Paré en zone piétonnière.

....

2. Baisse du dollar par rapport à l'euro.

....

3. Réunion des ministres des Finances des pays de l'Union européenne aujourd'hui à Strasbourg.

....

4. Amélioration du temps annoncée pour demain par la météo.

....

5. Début des soldes d'été à partir de mardi prochain.

....

6. Fermeture du magasin du 12 au 18 juillet prochains.

....

7. Annulation de la réunion du 15 février.

....

8. Reprise, hier matin, des cours à la faculté des sciences.

....

4) Vocabulaire / expressions pour caractériser une personne

Faites correspondre chaque phrase à la qualité ou au défaut donnés dans la colonne de droite :

1. Séverine a le cœur sur la main.

2. Tu ne trouves pas que François a un poil dans la main ?

3. Tu sais, José, il n'a pas inventé la poudre.

4. Rappelle notre rendez-vous à Joël : tu sais comme il est tête en l'air.

5. Raoul ? Il ne fait pas dans la dentelle !

6. Je suis amoureuse de Patrice : c'est un véritable Apollon !

7. Tu ne lui feras pas changer d'avis : il est têtu comme une mule.

8. Henri est partout comme un poisson dans l'eau.

a. la paresse

b. l'étourderie

c. l'obstination

d. la beauté physique (masculine)

e. l'aisance, le sens de l'adaptation

f. la grossièreté

g. la bêtise

h. la générosité

1	2	3	4	5	6	7	8

5) Caractériser un objet

Choisissez dans la liste ci-dessous l'objet dont on parle :

un poste de radio   *une montre*
des mocassins   *un ventilateur électrique*
une glacière électrique   *des jumelles*

1. C'est un objet indispensable pour les pique-niques ou les vacances. Cet appareil se branche sur l'allume-cigares de votre voiture et vous permet de profiter partout de boissons et de plats à la bonne température. Sa grande capacité de 40 litres en fait un appareil utile et agréable et non un simple gadget. Vous apprécierez de boire frais cet été !

....

2. Il est équipé d'une télécommande pour le régler sans effort. Il est contrôlé par microprocesseur et vous laisse le choix entre trois vitesses et trois intensités. Il se pose sur un meuble ou se monte sur un pied télescopique. N'attendez pas l'été pour le commander !

....

3. Équipé de quatre gammes d'ondes, il vous permettra d'être à l'écoute du monde entier ! En outre, il affiche l'heure et le nom de la station sur un écran digital. Il est muni d'une antenne télescopique et d'un grand haut-parleur pour une réception de qualité.

....

4. Elle est signée d'un grand nom de l'horlogerie. Elle est d'une élégance très classique avec ses chiffres romains et son bracelet en cuir mais son mouvement à quartz – garanti trois ans – en fait un instrument moderne et de haute précision.

....

5. Elles grossissent jusqu'à 80 fois ! Légères, robustes, elles vous accompagneront dans toutes vos promenades et vous permettront de profiter des beautés de la nature. La qualité de leurs lentilles garantit une image précise et lumineuse. Dimensions : $17 \times 12 \times 6$ cm. Elles sont livrées dans un étui en simili-cuir.

....

6. Leur confort est inégalable. Fabriqués dans un cuir d'une extraordinaire souplesse, ils sont très agréables pour les pieds sensibles. Vous ne voudrez plus les quitter. Cousus main, ils sont très élégants. Ils existent en trois couleurs : blanc, brun, noir.

....

6) Caractériser un objet

Sur le modèle des textes de l'exercice précédent, rédigez des petites notices de présentation en vous aidant des précisions techniques données ci-dessous :

1. Nature de l'objet : une valise à roulettes.
   Caractéristiques techniques : poignée télescopique – larges roulettes de 6 cm de diamètre – 2 grosses poches latérales – cadenas – porte-étiquette.
   Matière : toile polyester.
   Dimensions : $34 \times 54 \times 25$ cm.
   Qualification : solide – pratique.

....
....
....

2. Nature de l'objet : un collier.
   Matière : perles de culture – diamètre de 6 mm – percées et assemblées sur un fil polyester.
   Accessoires : fermoir en or 18 carats – livré dans un bel écrin.
   Origine : Chine.
   Dimensions : 43 cm.
   Qualification : élégant – raffiné.

....
....
....

3. Nature de l'objet : un parasol.

Forme / matière : rectangulaire – toile de coton imperméabilisée.

Caractéristiques techniques : armature en bois exotique – ouverture au moyen d'une manivelle.

Dimensions : 3 m × 2 m.

Qualification : joli – coloré – pratique – agréable pour l'été.

....

....

....

4. Nature de l'objet : un appareil anti-moustiques.

Caractéristiques techniques : sans odeur – fonctionnement à ultra-sons – consommation électrique minime (0,7 watt / heure).

Fonctionnement : se branche sur une prise électrique.

Qualification : révolutionnaire – efficace – inoffensif.

....

....

....

5. Nature de l'objet : un aspirateur de voiture.

Caractéristiques techniques et accessoires : puissance de 700 watts – livré avec 3 embouts et 2 brosses adaptables – filtre à poussière – branchement sur l'allume-cigares (cordon fourni).

Dimensions : longueur : 25 cm – poids : 1 kg.

Qualification : maniable – léger – puissant.

....

....

....

6. Nature de l'objet : un barbecue électrique.

Caractéristiques techniques et accessoires : une résistance de 2 000 watts – équipé d'une minuterie et d'un thermostat – sans feu, sans flammes, sans bois ni charbon – muni d'un couvercle – éclairage intérieur.

Matière : acier inoxydable.

Dimensions : 57 × 30 × 33 cm.

Qualification : la Rolls-Royce des barbecues ! – pratique – sans danger – gastronomique.

....

....

....

7) Repérage de la cause

Dans les phrases suivantes, soulignez la cause selon le modèle :

EXEMPLE ● *Je n'ai pas vu le feu rouge <u>parce que je cherchais ma route sur les panneaux</u>.*

1. Je n'ai pas pu partir à cause de la grève des trains.

2. Nous passerons nos vacances en Bretagne parce que ma femme et mes enfants aiment beaucoup la mer.

3. Excuse-moi, je dois partir : j'ai un cours à 16 heures.

4. J'ai eu une réduction à la librairie *À la Page* parce que je connais bien le libraire.

5. François aime bien Sylvie parce qu'elle est très sympathique mais aussi... parce qu'elle a de très beaux yeux !

6. C'est le brouillard qui a provoqué l'accident.

7. Fabien, qui était malade, n'a pas pu venir à notre réunion.

8. Grâce à Internet, on peut entrer en relation avec des gens du monde entier.

8) Repérage de la cause

a) **Mettez en relation chaque phrase avec une des causes mentionnées dans la colonne de droite :**

EXEMPLE ● *Avec 150 euros de plus par mois, Gabriel a pu déménager.* → *une augmentation de salaire*

1. Les automobilistes roulent trop vite : il y a beaucoup d'accidents.

2. L'intervention de Pascal m'a permis de trouver du travail.

3. Nous avons passé des vacances merveilleuses : nous avons eu un temps magnifique.

4. Jean-Paul a réussi de brillantes études en travaillant beaucoup.

5. J'ai touché une grosse somme au Loto : je peux m'acheter une nouvelle voiture.

6. Jean-Michel s'est foulé la cheville et ne pourra pas participer au match de dimanche.

7. En trois coups de pinceau, tu as rendu ton appartement beaucoup plus gai.

8. Marielle n'a pas pu venir : elle est au lit avec 39° !

a. de nouvelles peintures
b. un gain inattendu
c. la vitesse excessive
d. la fièvre
e. le travail acharné
f. les conditions météorologiques
g. une blessure
h. l'aide d'un ami

1	2	3	4	5	6	7	8

b) **Récrivez maintenant les phrases en exprimant plus nettement la cause :**

EXEMPLE ● *Grâce à une augmentation de 150 euros par mois, Gabriel a pu déménager dans un appartement plus grand.*
Ou :
Gabriel a pu déménager dans un appartement plus grand parce qu'il a eu une augmentation de 150 euros par mois.

1. ....

2. ....

3. ....

4. ....

5. ....

6. ....

7. ....

8. ....

9 Expression de la cause

Imaginez, comme dans l'exemple, la question qui a provoqué chacune des réponses ci-dessous :

EXEMPLE ● – *Pourquoi tu aimes la campagne ?*
– *Parce que j'adore le vert.*

1. – ....
– Parce que je n'ai plus vingt ans.

2. – ....
– Parce que je ne peux pas me passer d'elle.

3. – ....
– Parce que je n'ai pas assez d'argent.

4. – ....
– Parce que nous sommes fâchés.

5. – ....
– Parce que ça me plaît.

6 – ....
– Parce que je n'aime pas le sucré.

7. – ....
– Parce que ça fait longtemps que je n'y suis pas allée.

8. – ....
– Parce que tu es trop curieux / curieuse.

10 Repérage et expression de la cause et de la conséquence

a) Dans les phrases suivantes, distinguez la cause de la conséquence (en soulignant, par exemple, à l'aide de couleurs différentes) :

1. Tu écris très mal. Je ne peux pas te lire.

2. Je ne peux pas enfiler cette chemise. Elle n'est pas à ma taille.

3. Tu peux me prêter de l'argent ? Je n'ai plus un euro.

4. Je vais téléphoner à Jacques : c'est son anniversaire.

5. J'ai oublié mes clés au bureau. Je ne peux pas rentrer chez moi.

6. Sophie est très sensible. Tu ne devrais pas lui parler comme ça.

7. Je ne peux pas te suivre. Tu marches trop vite.

8. J'ai mal à la tête. Je ne veux pas sortir ce soir.

b) Maintenant, récrivez les phrases en introduisant une relation de cause à conséquence :

1. ....

2. ....

3. ....

4. ....

5. ....

6. ....

7. ....

8. ....

11) Expression de la cause et de la conséquence

À l'aide des éléments ci-dessous, écrivez des phrases en exprimant une relation de cause à conséquence :

1. Un orage / une panne d'électricité.

....

2. Arrêter de fumer / les conseils du médecin.

....

3. Être fatigué / partir en vacances.

....

4. Prendre le bateau / avoir peur en avion.

....

5. Ne pas dormir / une fête chez les voisins.

....

6. Le défilé du 14 Juillet / un énorme embouteillage.

....

7. Être hospitalisé / une insolation.

....

8. Être inquiet / ne pas avoir de nouvelles de Louis.

....

12) Orthographe : quelques homophones

Complétez le texte avec les homophones suivants :

perd	père
maire	ver
verre	paire
terre	ter
pairs	mère
vers	vert
taire	mer

Ah ! les homophones en français : quel casse-tête ! Vous savez, ce sont ces mots « faux-frères » qui se prononcent de la même façon mais qui s'écrivent... de toutes les façons.

Par exemple, si l'on est poète, on fait (et on écrit) des .... ; mais si l'on est en même temps pêcheur, on pratique son sport préféré avec un .... de terre au bout de sa ligne. Au bord de la rivière, quand le soleil monte, ... dix heures, la soif vous fait boire un .... de ce que vous voudrez. Tout est paisible. On profite du spectacle de la nature qui étale sous vos yeux le .... de ses arbres et de ses plantes. La chaleur de midi vous ramène alors .... votre maison.

Tenez, un autre exemple : supposons que votre maman soit élue aux élections municipales à Saint-Tropez, vous pourrez dire : « Ma .... est .... en bord de .... ». Ça va tout seul pour le dire mais c'est plus difficile à écrire !

Vous pensez être tranquille avec papa ? Pas du tout ! Autre supposition : l'auteur de vos jours est battu au poker en abattant deux cartes qui portent le chiffre huit. Vous aurez alors ce commentaire : « Mon .... aujourd'hui .... la partie avec une .... de chiffres .... ». Cela vous déses...père ? Il y a de quoi !

J'ai honte de cet exercice d'orthographe. Il ne me reste plus qu'à me ...., à rentrer sous .... (comme le ver du même nom qui est au bout de la ligne du poète) en répétant trois fois (....................) que l'orthographe du français est un grand mys...tère.

Séquence 8

Futurs

1) Futur proche ou lointain

Dites si le futur évoqué est proche ou lointain :

	Futur proche	Futur lointain
1. Je compte partir dans une quinzaine de jours.	❑	❑
2. J'essaierai de te téléphoner la semaine prochaine.	❑	❑
3. Je ne sais pas où auront lieu les prochains Jeux olympiques.	❑	❑
4. Martin terminera ses études de médecine dans trois ans.	❑	❑
5. Attends-moi un instant. Je reviens tout de suite.	❑	❑
6. Si tout va bien, nous nous marierons dans un an.	❑	❑
7. Si vous acceptez ce poste, vous devez donner une réponse sous vingt-quatre heures.	❑	❑
8. Les travaux du T.G.V. Paris-Strasbourg seront achevés en 2006.	❑	❑
9. Téléphone-moi après 18 h.	❑	❑
10. Qui vivra verra.	❑	❑

2) Valeurs du futur

Cochez la case qui correspond à la valeur du futur dans la phrase :

	Une promesse	Une consigne / un ordre	Une prévision	Une demande
1. J'ai soif. Je prendrai volontiers un grand verre d'eau minérale, s'il vous plaît.	❑	❑	❑	❑
2. Les modifications climatiques liées à l'effet de serre auront de graves conséquences sur la vie des hommes.	❑	❑	❑	❑
3. D'accord, je passerai te prendre chez toi à six heures et quart.	❑	❑	❑	❑
4. Monsieur Grandjean, vous passerez à mon bureau.	❑	❑	❑	❑
5. Ne t'en fais pas : je t'aiderai à travailler ton anglais pendant les vacances.	❑	❑	❑	❑
6. Il faudra absolument livrer ce colis avant lundi.	❑	❑	❑	❑

	Une promesse	Une consigne / un ordre	Une prévision	Une demande
7. Les grosses chaleurs de la journée du 18 juillet seront accompagnées d'orages en fin d'après-midi.	❏	❏	❏	❏
8. Les clients de l'hôtel devront quitter la chambre avant midi.	❏	❏	❏	❏
9. Moi, je prendrai une tête de veau vinaigrette en entrée et puis une fricassée de lapin aux deux légumes.	❏	❏	❏	❏
10. Les passagers voudront bien se diriger vers la porte B12 en vue de l'embarquement.	❏	❏	❏	❏

3 Compréhension orale / expression écrite

Écoutez l'enregistrement et complétez l'affiche qui présente le programme :

FÊTE DE LA MUSIQUE
Samedi 21 juin 2003

14 h - Grande rue au centre-ville : ....

15 h - Rue Battant : ....

16 h 30 : ....

.... - Place Victor Hugo : ....

18 h - Rue de la Madeleine : ....

20 h - Cathédrale Saint-Jean : ....

Autres animations musicales : ....

....

Attention ! L'accès au centre-ville .... à partir de 14 h.

Les itinéraires des bus.. .

4 Morphologie des verbes au futur

Complétez les phrases en mettant le verbe entre parenthèses au futur :

1. Je (répondre) .... au courrier quand je (pouvoir) .... : je suis débordé...

2. Je t'attends : nous (partir) .... quand tu (vouloir) ....

3. S'il vous plaît, en allant faire les courses, vous n'(oublier) .... pas de poster le courrier.

4. Quand nous (voir) .... Patrick, nous lui (donner) .... le bonjour de ta part.

5. Vous pouvez faire confiance à Valérie : elle (tenir) .... sa promesse.

6. Dès qu'ils (être) .... dans leur nouvel appartement, ils (faire) .... toutes les réparations nécessaires.

7. Pour arriver à Lyon avant 9 h, nous (devoir) .... partir à 6 h, dernier délai.

8. Il (falloir) .... changer les pneus de ta voiture : ils sont lisses.

9. Quand tu (savoir) .... où tu es nommé à la rentrée, tu me (donner) .... ton adresse.

10. C'est promis : je (venir) .... te voir.

5) Compréhension orale / expression écrite

Écoutez l'enregistrement et complétez le prospectus publicitaire :

Écrivez la dernière page d'histoire de l'ancien France

« La grande histoire du *France*, commencée en 1960, s'achèvera en 2002.

Après avoir fait rêver les Français pendant 42 ans, l'ancien *France* effectuera bientôt son dernier voyage... Ce paquebot de luxe restera dans nos esprits comme le symbole du génie maritime français, du luxe et de l'art de vivre « à la française ». Il est admirable par ses proportions spectaculaires et sa destinée exceptionnelle.

Inauguré par le général de Gaulle en 1960, il a tout de suite acquis une renommée internationale. Toutes les stars de l'époque ont voyagé à son bord : la princesse Grace, le prince Rainier de Monaco, Audrey Hepburn, Salvador Dali, Chagall, Burt Lancaster ou encore Alfred Hitchcock.

Racheté en 1979, il sera rebaptisé *Norway* et naviguera dans les Caraïbes. En septembre et octobre 2002, il effectuera ses ultimes croisières le long des côtes françaises.

Nous pourrons donc découvrir et redécouvrir le splendide paquebot et nous passionner une dernière fois pour lui. Ceux qui ont voyagé à son bord se souviennent de l'émotion provoquée par son élégance et par sa grandeur : songez au spectacle offert par un navire géant de 315 mètres de long, avec ses hautes cheminées auréolées d'histoire et de légende. »

TMR France vous propose quatre formules pour participer à une dernière croisière à bord.

• La *Croisière des adieux à la France* du 21 au 30 septembre 2002.

Le paquebot mythique naviguera en direction de .... La croisière vous offrira une très belle navigation le long .... Suivront .... Le passage du détroit de .... permettra une escale à .... L'ancien *France* rejoindra alors le bassin méditerranéen, à destination de .... Prix : à partir de .... euros par personne.

• La *Croisière des adieux méditerranéens* du .... au .... 2002.

Vous embarquerez à .... Suivront Malte, ... avec La Spezia

(visites de .... , ... et ....) ; puis ....

avant le retour à .... Prix : .... par personne.

• ....

Ces mini-croisières de deux jours sans escales vous sont proposées du .... au

.... 2002 ou du .... au .... 2002 au départ

.... Prix : ....

• *L'Odyssée gourmande* du 15 au 21 octobre 2002.

Cette croisière .... en forme d'adieux renouera avec la grande tradition du

paquebot *France*. Départ de .... puis ....,

.........................., ..., ..., ..., Ajaccio et retour à

.... Prix : ....

6 Compréhension orale / expression écrite

Écoutez l'enregistrement et complétez le tract :

☼ **FÊTE MEXICAINE**

Le .... à Sornay !

◉ Samedi 21 juin : 20 h 30 - salle des fêtes

— Conférence de ....

Sujet : ....

— Exposition .... et ....

◉ Dimanche 22 juin

— 15 h devant la mairie : ....

....

— 17 h : ....

En cas de pluie, ...

Écoutez l'enregistrement et rédigez la proposition de programme touristique :

```
┌────────────────────────────────────────────────────────────────────────────┐
│ □                    ▒▒ PROPOSITION DE PROGRAMME TOURISTIQUE ▒▒         回目 │
├────────────────────────────────────────────────────────────────────────────┤
│ 🖳Envoyer  🖳Envoyer plus tard  🖳Enregistrer sous Brouillons │ 🖉Ajouter des pièces jointes │ 🖊Signature ▾ 🖳Options ▾ │ ▒ │
├────────────────────────────────────────────────────────────────────────────┤
│        🔵 À :  Monsieur Alban Pascalet                                      │
│        🔵 Cc :                                                              │
│        🔵 Cci :                                                             │
│      Objet : │PROPOSITION DE PROGRAMME TOURISTIQUE│                         │
│▷  Pièces jointes : Aucune                                                   │
│🆎  Book Antiqua ▾  moyenne  ▾ │ G  I  S  T │ ▤ ▥ ▦ │ ⁝≡ ⁝≡ ⁝≡ ⁝≡ │ A ▾ ◇ ▾ │ ─ │
├────────────────────────────────────────────────────────────────────────────┤
```

Turquie : Istanbul, Ankara et la Cappadoce

3 août : ....

4 août : ....

....

5 août : ....

....

....

6 août : ....

....

....

7 août : ....

....

8 août : ....

9 août : ....

8) Futur antérieur

Reformulez les phrases en utilisant le futur antérieur et le futur :

EXEMPLE ● *J'apprends l'anglais ; après je me mettrai à l'italien.* →
   *Quand j'**aurai appris** l'anglais, je me mettrai à l'italien.*

1. D'abord nous terminerons les travaux d'électricité ; puis nous referons les peintures.

....

2. Tu apprends ta leçon et ensuite tu fais les exercices.

....

3. Hamid finit de téléphoner ; après, je passe un coup de fil à Julia.

....

4. Premièrement, vous mélangez les œufs et le sucre ; deuxièmement, vous ajoutez la farine.

....

5. Vous tournerez à droite ; alors vous apercevrez une vieille église.

....

6. Termine ce livre de Del Pappas ; ensuite, je t'en prêterai un autre.

....

7. Je sortirai ; tu fermeras soigneusement la porte derrière moi.

....

8. Passe ton baccalauréat d'abord. Après, tu feras ce que tu voudras.

....

9) Futur antérieur

Complétez en utilisant le futur antérieur :

1. À mon avis, les peintres (finir) .... les travaux avant la fin de la semaine.

2. Nous règlerons cette question quand le patron (rentrer) ....

3. J'espère que vous (comprendre) .... que je ne plaisante pas.

4. Dès que les clients (quitter) .... la table, je vous installerai là, sur la terrasse, à l'ombre.

5. Quand vous (terminer) .... votre entrée, je vous ferai goûter ma pintade aux raisins : c'est ma spécialité.

6. Je t'appellerai quand j'(avoir) .... des informations complémentaires.

7. Les Gontrand de la Musaille partiront à l'étranger dès que leur dernière fille (trouver) .... un mari.

8. Je prendrai une douche dès que l'eau (revenir) ....

10) Futur antérieur

Complétez en utilisant le futur antérieur et le futur :

1. Quand tu (partir) ...., Josiane (être) .... très malheureuse.

2. Les policiers (avoir) .... plus d'informations quand ils (interroger) .... les témoins.

3. Quand j'(faire développer) .... les photos de ton anniversaire, je te les (envoyer) ....

4. J'(acheter) .... une nouvelle voiture quand l'assurance m'(rembourser) .... l'ancienne.

5. Quand tu (allumer) .... le feu, nous (pouvoir) .... faire ce barbecue.

6. Je (rester) .... ici aussi longtemps que vous n'(répondre) .... pas .... à ma question.

7. Quand il (pleuvoir) ...., la température (être) .... plus supportable.

8. Vraiment, je (regretter) .... cette ville quand je l'(quitter) ....

11) Orthographe : les homophones *quand / qu'en*

Complétez avec l'expression qui convient :

1. Gérard préfère passer ses vacances en Grèce .... Italie.

2. Vous pouvez passer chez nous n'importe .... : vous serez toujours le bienvenu.

3. Rémi pense .... deux mois il peut terminer ce projet.

4. Vous avez vu les plans de nos nouveaux bureaux ? .... pensez-vous ?

5. Un proverbe dit : « .... le chat n'est pas là, les souris dansent. »

6. .... vas-tu te décider à te faire couper les cheveux ?

7. Je me débrouille mieux en anglais .... allemand.

8. Nous avons lu .... 1925 un tremblement de terre a ravagé la région.

9. Je voudrais bien savoir .... Georges doit partir.

10. Tu devrais savoir .... parlant ainsi tu vas te fâcher avec tout le monde.

12) Orthographe : les homophones *vois / voit / voient / voix / voie*

Complétez avec l'expression qui convient :

1. Tu ...., ce travail n'est pas aussi difficile que tu le pensais.

2. À 12 kilomètres de notre ville passe une ancienne .... romaine.

3. Francis et moi, on se .... très rarement.

4. Yves ? Tout le monde l'appelle « le chanteur à la .... d'or » !

5. Édouard et Antoine sont très différents : ils ne .... pas les choses de la même façon.

6. Évitez de jeter des papiers sur la .... publique.

7. Le candidat de l'opposition a remporté les élections avec 53,12 % des ....

8. Je ne .... pas où tu veux en venir.

9. Un proverbe dit : « Chacun .... midi à sa porte ». Cela veut dire qu'on se fait une opinion en fonction de sa propre expérience.

10. À la suite des inondations, la .... ferrée Douai-Caen a été endommagée.

Parcours 3

Séquence 9

Causes et effets

1) Articulateurs logiques

Complétez avec les expressions *en raison de, à la suite de, grâce à, pour cause de, à cause de* **:**

1. La compétition est annulée .... fortes pluies qui n'ont pas cessé depuis hier.

2. .... votre intervention, il a trouvé du travail.

3. Le magasin est fermé .... travaux.

4. .... votre expérience, vous pourrez assumer ce travail sans difficulté.

5. .... une grève d'une certaine catégorie de personnel, la ligne 4 du métro ne fonctionnera pas le lundi 6 juillet.

6. Il a perdu cette compétition .... ses problèmes physiques.

7. .... sa gentillesse, la boulangère a su se faire une clientèle.

8. Nous avons déménagé .... climat, mon mari a de l'asthme.

9. .... ton aide, j'ai réussi mon examen.

10. .... fêtes de fin d'année, toutes les boutiques seront ouvertes ce dimanche.

2) Verbes

Complétez avec les verbes ou expressions verbales qui suivent : *provoquer, causer, être responsable de, être à l'origine de, être dû à.*

1. C'est un orage qui .... des perturbations dans la circulation des trains.

2. Il était très fatigué, il .... un accident.

3. Cette hausse du chômage .... à la situation économique mondiale.

4. Son intervention .... une bagarre générale.

5. Le ministre de l'Éducation nationale .... de cette nouvelle loi.

6. Les problèmes que nous rencontrons .... à une mauvaise appréciation de la situation.

7. Si vous .... de cet accident, vous serez très peu remboursé par l'assurance.

8. C'est une idée de Jacques qui .... de ce projet.

9. Il est difficile d'augmenter les impôts sans .... des perturbations sociales.

10. Cette maladie .... à une pollution anormale.

3) Cause / conséquence

Choisissez pour chaque phrase la suite qui convient :

1. Les enfants ne sont pas allés à l'école :
- ❑ parce qu'il faisait beau.
- ❑ car ils sont grippés.
- ❑ parce que c'est la rentrée.

2. Elle a trouvé du travail :
- ❑ parce qu'elle n'a pas d'expérience.
- ❑ car elle cherche depuis longtemps.
- ❑ grâce à ses compétences.

3. Il a des difficultés en classe :
- ❑ parce qu'il comprend tout.
- ❑ parce qu'il est très intelligent.
- ❑ à cause de son manque de concentration.

4. Elle est partie en croisière :
- ❑ à cause de ses problèmes financiers.
- ❑ parce qu'elle a gagné un concours.
- ❑ grâce à sa maladie.

5. Je ne peux pas acheter cette voiture :
- ❑ parce qu'elle est très confortable.
- ❑ car je n'en ai pas les moyens.
- ❑ à cause de son confort.

4) Positif / négatif

Dites pour chaque phrase si elle évoque une idée positive ou négative :

	Idée positive	Idée négative
1. Grâce à son sang froid, l'accident a pu être évité.	❑	❑
2. La circulation est difficile en raison des départs en vacances.	❑	❑
3. Il est très content car nous avons passé une excellente journée.	❑	❑
4. À la suite d'un accident, il y a eu un embouteillage d'une heure sur le périphérique nord.	❑	❑
5. Nous avons obtenu ce que nous voulions car vous avez très bien négocié.	❑	❑
6. Le directeur l'a remercié à cause de son efficacité.	❑	❑
7. En raison de graves difficultés financières, cette entreprise a dû licencier vingt personnes.	❑	❑
8. Vous ne pouvez plus vous inscrire car vous avez dépassé la date limite.	❑	❑
9. À cause d'une fausse manœuvre, j'ai effacé le texte que j'étais en train de taper.	❑	❑
10. Les femmes sont moins dangereuses au volant que les hommes car elles respectent plus le code de la route.	❑	❑

5 Résultat

Écoutez et indiquez quel enregistrement correspond à chaque phrase :

a. Marc est parti parce qu'il était fâché. → Enr. n° ....

b. Je suis allée à la mer parce qu'il faisait beau. → Enr. n° ....

c. Vous devez corriger ce document parce que vous avez fait des erreurs. → Enr. n° ....

d. Suite aux résultats des élections, le Premier ministre a démissionné ce matin. → Enr. n° ....

e. Grâce à son aide, il a trouvé du travail. → Enr. n° ....

f. En raison de la tempête, les pêcheurs n'ont pas pu travailler aujourd'hui. → Enr. n° ....

g. À la suite d'un orage, plusieurs villages sont inaccessibles. → Enr. n° ....

h. Tu n'as pas reçu ma lettre à cause de la grève. → Enr. n° ....

6 Questions sur un texte

a) Lisez le texte et répondez au questionnaire :

Les vertus de l'air marin

Passer des vacances au bord de la mer est bénéfique. L'air marin est plein de qualités qui agissent sur votre santé et ce n'est pas une légende. Pourquoi ? D'abord, parce que l'air marin est plus riche en oxygène et en ozone ; par conséquent, il a un effet purificateur sur l'organisme. Il y a également dans l'air marin des particules riches en sels et en iode. Grâce à leur présence dans l'air, l'organisme est stimulé et développe son système immunitaire. Enfin, l'air est purifié par les rayons ultraviolets qui se reflètent sur la mer ; il y a donc 50 000 fois moins de microbes dans un mètre cube d'air marin que dans une ville comme Paris.

1. Dans ce texte, il y a :
   ❑ deux qualités de l'air marin qui sont exposées.
   ❑ trois qualités de l'air marin qui sont exposées.
   ❑ cinq qualités de l'air marin qui sont exposées.

2. L'air marin contient :
   ❑ plus de microbes que celui des villes.
   ❑ moins de microbes que celui des villes.

3. L'organisme est purifié grâce à la présence de sels.
   ❑ oui   ❑ non

4. L'iode renforce les défenses de l'organisme.
   ❑ oui   ❑ non

5. L'organisme est purifié grâce à la forte présence d'oxygène et d'ozone.
   ❑ oui   ❑ non

6. Les rayons ultraviolets ont une action bénéfique sur la qualité de l'air.
   ❑ oui   ❑ non

b) Essayez de retrouver le schéma du texte :

L'air marin est bénéfique parce que :

1. ....

2. ....

3. ....

7) Explication

Écoutez et associez chaque question à une réponse :

a. Parce que les pluies ont provoqué un glissement de terrain. → Question n° ....

b. Grâce à une amie de ma mère. → Question n° ....

c. Cette augmentation est due à une mauvaise
conjoncture internationale. → Question n° ....

d. Parce que je n'ai pas d'argent. → Question n° ....

e. Il est parti parce qu'il devait prendre le train. → Question n° ....

f. Parce qu'elle va avoir un enfant. → Question n° ....

g. À cause du bruit et des voisins. → Question n° ....

h. C'est un bus qui est sorti de la route. → Question n° ....

8) Cause / conséquence

Reformulez les phrases d'une autre façon :

1. Il y a eu un orage, le spectacle en plein air a été annulé.

....

2. Il y a des travaux, l'autoroute est coupée sur deux kilomètres.

....

3. Marc a fait des progrès, il a beaucoup travaillé.

....

4. Il y a eu une reprise économique, le chômage a diminué.

....

5. Je n'ai pas pu m'inscrire car j'étais en retard.

....

6. C'est un très bon film : il a été réalisé à partir d'un excellent roman.

....

7. Il est plus de 8 h, les magasins sont fermés.

....

8. Les travaux ont été arrêtés, il n'y a plus de crédits.

....

9. Je ne pars pas ce soir, je n'ai pas trouvé de billet d'avion.

....

10. Elle est rentrée chez elle, elle a eu un léger malaise.

....

11. Je ne suis pas allé au cinéma, il n'y a rien d'intéressant.

....

9) Noms d'origine étrangère

Soulignez les noms d'origine étrangère et dites de quelle langue ils proviennent (anglais, espagnol, grec, italien, arabe, esquimau, japonais, swahili) :

1. À lundi, bon week-end.   ....

2. Je l'ai rencontré par hasard.   ....

3. Un hamac, c'est très pratique !   ....

4. Mets ton anorak, il fait froid.   ....

5. Tu entends ? Le téléphone sonne.   ....

6. Il n'y a plus de places sur le parking.   ....

7. Je vais prendre une pizza napolitaine.   ....

8. J'ai trouvé un très beau kimono.   ....

9. Pendant les vacances, ils vont faire un safari au Kenya.   ....

10. Tiens, je t'ai rapporté un poncho d'Équateur.   ....

10) Orthographe : les homophones *par ce que / parce que*

Complétez avec l'expression qui convient :

1. Je comprends, ... vous m'en avez dit, toute la difficulté de votre situation.

2. Robert et Claudine ont deux chihuahuas .... ils adorent les chiens.

3. Régine est appréciée par tout le monde dans l'entreprise .... elle est sympa-thique et travailleuse.

4. Les citoyens jugent les hommes politiques non .... ils disent mais .... ils font.

5. Je vois rarement Jean-Paul .... il habite à l'autre bout de la France.

6. Si j'en juge .... vous en dites, nous sommes sûrs de réussir.

7. Nous pouvons vous attendre un petit quart d'heure .... nous ne sommes pas très pressés.

8. J'ai été considérablement enrichi .... ce professeur m'a appris.

Séquence 10

Avec des si...

1 Consignes

Reformulez les consignes en utilisant *si + vouloir, si + désirer, si + souhaiter* :

1. Pour obtenir des informations sur les horaires, faire le 1.

...., faites le 1.

2. Pour connaître l'état du trafic, faire le 2.

....

3. Pour contacter un vendeur, faire le 3.

....

4. Pour réserver, appuyer sur dièse.

....

5. Pour avoir le programme des cinémas, appeler le 03 55 44 33 22.

....

6. Pour accéder à la banque de données de notre service, taper *accès*.

....

7. Pour interroger à distance votre répondeur, faire votre numéro suivi de votre code personnel.

....

8. Pour appeler un taxi, composer le 44 44.

....

9. Pour commander un article, taper sur la touche 6.

....

10. Pour annuler votre commande, faire le 0.

....

2) Valeurs de *si* + phrase

Écoutez et dites ce que chaque phrase exprime :

	Menace	Proposition	Promesse	Demande	Ordre
1					
2					
3					
4					
5					
6					
7					
8					
9					
10					

3) Trucs et astuces

Écoutez et, pour chaque dialogue, rédigez un texte qui commence par *si* :

1. Halte aux champignons noirs !

....
....
....

2. Passez-leur un bon savon !

....
....
....

3. Tour de vis « au rouge »

....
....
....

4. Fraises intégrales

....
....
....

5. Le parfum de la soupe au chou

....

....

....

4 Hypothèses / pronostics

Lisez le texte et complétez le tableau ci-dessous :

L'Allemagne a battu le Paraguay et elle jouera donc en quart de finale contre les États-Unis. La Corée du Sud a battu l'Espagne et si l'Allemagne gagne, elle jouera contre la Corée du Sud en demi-finale. Le Brésil a gagné contre l'Angleterre en quart de finale. Si la Turquie bat le Sénégal, elle jouera contre le Brésil.

Quarts de finale	Demi-finales
1. Allemagne	**1.** ....
2.	**2.** Corée du Sud
1.	**1.** ....
2.	**2.** ....
1. Angleterre	
2.	
1.	
2.	

5 Que faire si...

Reconstituez les phrases :

1. Si vous êtes malade,
2. Si vous avez perdu vos clés,
3. Si vous n'avez pas de place au cinéma pour la séance de 20 h,
4. S'il n'y a plus de vinaigre,
5. Si tu ne sais pas faire cet exercice,
6. S'il pleut ce soir,
7. Si Marie-Hélène téléphone,
8. Si tu bois trop de cette eau,
9. Si tu prends le train à 10 h,
10. Si tu es en retard,

a. nous ne pourrons pas faire de barbecue.
b. appelle-moi sur mon portable.
c. appelez SOS Médecins.
d. demande à un camarade.
e. tu ne seras pas à Bordeaux à midi.
f. allez-y à 22 h.
g. téléphonez à un serrurier.
h. tu vas être malade.
i. mets du citron dans la salade.
j. dis-lui que je la retrouverai vers 7 h au café du Théâtre.

1	2	3	4	5	6	7	8	9	10

6 Si...

Complétez les phrases suivantes :

1. Si ...., tu peux prendre le train suivant.

2. Si ...., passe aux objets trouvés voir s'ils l'ont.

3. S'il ...., nous irons nous baigner au lac de Sainte-Croix.

4. Si ...., dis-lui qu'il n'oublie pas notre rendez-vous de demain.

5. Si ...., il faut que tu fasses vérifier l'huile et les freins.

6. Si ...., nous trouverons un autre restaurant avec une terrasse.

7. Si ...., éteignez les lumières et fermez la porte.

8. Si ...., nous l'appellerons Julie.

7 Reformuler une hypothèse

Reformulez les phrases suivantes :

1. En cas de pluie, le spectacle aura lieu dans la salle des fêtes.
   S'il ....

2. Si vous arrivez en retard, prenez un taxi.
   Au cas où ....

3. Au cas où je serais absent, vous trouverez les clés chez la concierge.
   En cas ....

4. En cas de problèmes, appelez-moi à la maison.
   Si ....

5. Si vous avez un accident, appelez tout de suite votre assurance.
   En cas ....

6. Au cas où tu n'aurais pas assez d'argent pour acheter ce vélo, je peux t'en prêter.
   Si ....

7. Si vous trouvez un petit chat noir et blanc, appelez le 06 77 85 54 34.
   Au cas où ....

8 Sens du verbe *pouvoir*

Mettez en relation les phrases qui ont le même sens :

1. Il se peut qu'il soit trop tard.
2. Je ne peux rien te dire.
3. Il se peut que j'arrive en retard.
4. Je peux ?
5. Je peux vous renseigner ?
6. Je peux me tromper.
7. Il peut le faire.
8. Je fais ce que je peux.
9. Il peut toujours attendre.
10. Je n'en peux plus.

a. Vous avez besoin d'une information ?
b. Je suis épuisé.
c. Je ne peux pas aller plus vite.
d. Il est possible que je sois en retard.
e. Je ne suis pas très sûr.
f. Je n'ai pas le droit de te parler de cela.
g. Pas question que je l'aide.
h. Il est capable de le faire.
i. Il y a des chances pour que nous n'arrivions pas à temps.
j. Vous permettez ?

1	2	3	4	5	6	7	8	9	10

9 Sens du verbe *prendre*

Écoutez et dites quel enregistrement correspond à chaque phrase :

a. Il est sorti. → Enr. n° ....

b. Je n'ai pas envie de le faire. → Enr. n° ....

c. Je me suis habitué à ne rien faire. → Enr. n° ....

d. Qu'est-ce que tu veux boire ? → Enr. n° ....

e. Ne te presse pas. → Enr. n° ....

f. On va rester ici longtemps ? → Enr. n° ....

g. Il a grossi. → Enr. n° ....

h. Je ne le supporte plus. → Enr. n° ....

i. Pars tout de suite ! → Enr. n° ....

j. Fais attention. → Enr. n° ....

10 Sens du verbe *comprendre*

Choisissez pour chaque phrase un ou deux équivalents du verbe *comprendre* dans la liste suivante : *réaliser, inclure, saisir, concevoir, accepter, déchiffrer, entendre.*

1. Je comprends ta position sur ce problème. ....

2. Je comprends pourquoi il n'est pas venu. ....

3. J'ai réussi à comprendre ce message. ....

4. Je comprends le problème. ....

5. Nos tarifs comprennent les frais de formation et d'hébergement. ....

6. Je n'ai pas bien compris ce qu'il a dit. ....

7. J'ai compris ses intentions. ....

11) Compréhension écrite

Lisez le texte et répondez aux questions :

Votre assurance immobilière

Voici tout ce que vous devez savoir en cas d'accident qui pourrait entraîner la destruction de votre appartement ou de votre maison.

Tout d'abord, certaines précautions peuvent éviter de graves sinistres : il est important de maintenir en bon état le circuit électrique de votre appartement ainsi que tous les systèmes de chauffage et de ne pas commettre d'imprudence (bougie, cuisinière à gaz, etc).
En cas de sinistre grave à votre domicile, essayez de garder votre sang-froid. Lorsque plus personne ne court de risques, essayez de sortir de votre domicile les papiers importants et les objets de valeur. Si vous habitez dans une maison, éloignez les voitures de l'incendie.
Lorsque le sinistre a eu lieu, contactez rapidement votre assureur par téléphone. Si vous avez Assurtotal, il interviendra immédiatement et enverra les personnes susceptibles de vous aider pour nettoyer et assécher votre appartement. Dans le cas où des biens seraient intacts, il s'occuperait de les faire déménager.

Un expert viendra vous rendre visite pour estimer les dégâts et prendre les mesures nécessaires.

Si votre logement est inhabitable, nous vous relogerons à l'hôtel ou en location le temps des réparations. Si c'est nécessaire, nous vous fournirons de l'argent pour faire face aux premiers achats.

Dans le cas où vous seriez locataire, nous vous aiderons à retrouver un appartement.

1. Que faut-il prendre comme précautions pour éviter un sinistre ?

....

....

2. S'il y a un incendie, que devez-vous faire ?

....

....

3. Avec Assurtotal, que fera votre assureur après le sinistre ?

....

....

4. Quel est le rôle de l'expert ?

....

....

5. Si vous ne pouvez plus habiter votre appartement, quels services vous rendra votre assurance ?

....

....

6. Pour les locataires, que fait l'assurance ?

....

....

12) Orthographe : les homophones *si / s'y / -ci / scie*

Complétez les phrases avec l'expression qui convient :

1. Raphaël .... connaît en mécanique : tu peux donc lui faire confiance.

2. Je ne sais pas .... Annabelle pourra venir à notre petite fête.

3. La dernière fois, c'est moi qui me trompais ; mais cette fois.............., je suis sûr d'avoir raison.

4. Comment ? tes clés ne sont pas sur la table de la salle à manger ? Mais elles .... trouvaient il n'y a pas cinq minutes !

5. Passe-moi la .... : je vais couper cette branche d'arbre qui gêne le passage.

6. .... tout va bien, nous terminerons ce projet lundi matin.

7. Il fait vraiment chaud, ces temps.............. .

8. .... tu viens en train, j'irai te chercher à la gare.

9. Martine, elle sait .... prendre avec les enfants. Ils l'adorent tous.

10. Joseph va à un congrès de philatélistes. Il .... rend en train.

1) Repérage du passif

Dans les phrases suivantes, précisez si le verbe est au passif ou non :

	Oui	Non
1. J'ai été très déçue par le travail de Myriam.	❑	❑
2. Pour venir, nous sommes passés par l'autoroute.	❑	❑
3. Les pompiers ont été alertés par un coup de téléphone.	❑	❑
4. J'ai été prévenu de l'absence du médecin.	❑	❑
5. Le petit Olivier est tombé par terre.	❑	❑
6. Je suis passé chez toi par hasard.	❑	❑
7. Le ministre était accompagné de plusieurs experts.	❑	❑
8. Marie est rentrée du bureau à cinq heures et demie.	❑	❑
9. Les travaux du congrès sont interrompus par une courte pause.	❑	❑
10. Hier soir, nous sommes restés à la maison.	❑	❑

2) Passif

Mettez les phrases suivantes au passif :

1. La police a arrêté les cambrioleurs du « casse » de la rue Chambond.

   ....

2. Le gouvernement appliquera à la rentrée de nouvelles mesures économiques contre le chômage.

   ....

3. On vous remboursera votre achat à la caisse du magasin.

   ....

4. Les violents orages de la semaine dernière ont provoqué des inondations catastrophiques.

   ....

5. La critique recommande le dernier roman d'Anna Gavalda.

   ....

6. La formule numéro 3, avec un séjour à Corte, nous intéresse.

   ....

7. Un embouteillage aura probablement retardé Frédéric : il devrait bientôt arriver.

   ....

8. Le facteur nous apportait le courrier chaque matin.

   ....

9. Jean-François a garé la voiture rue de L'Ancienne Comédie.

   ....

10. Cette longue promenade a fatigué les enfants.

   ....

3 Voix passive / voix active

Mettez les phrases suivantes à la voix active :

1. La population a été avertie par la météo de l'arrivée prochaine d'un violent orage.

....

2. Alain est très occupé par son nouveau travail.

....

3. Le maire de mon village a été réélu par une large majorité de la population.

....

4. Voilà bien longtemps que cette maison n'est plus habitée par personne.

....

5. Les locaux seront entièrement refaits pendant les vacances.

....

6. Tous les renseignements nécessaires m'ont été donnés par l'employée de l'agence de voyages.

....

7. Un magnifique livre d'art a été offert à René par ses collègues.

....

8. Tout le monde a été surpris par la violente réaction de Nicolas.

....

9. Pendant la *Semaine folle*, une réduction de 25 % est offerte par notre magasin sur tous les produits régionaux. Profitez-en !

....

10. Nous étions attendus à la gare par trois amis.

....

4 Conjugaison du futur

Complétez les phrases en mettant le verbe entre parenthèses au futur :

1. Quand nous (connaître) .... la date du retour de Pierre et Christiane, nous te (prévenir) ....

2. Michèle et Jean-René (arriver) .... demain par le train de 11 h 17.

3. Vous (pouvoir) .... venir me chercher à la gare ?

4. Pour traverser la route, tu (devoir) .... faire très attention.

5. Il (falloir) .... venir nous voir cet été dans notre maison de campagne !

6. Je (voir) .... ce que je peux faire pour vous aider.

7. Rémi t'(envoyer) .... un courrier électronique dès qu'il (savoir) .... où il est nommé.

8. Qu'est-ce que tu (prendre) .... comme dessert ?

9. Nous vous (attendre) .... à 10 h, à l'entrée du musée.

5) Emplois du futur

Dites à quoi correspond l'utilisation du futur :

1. Soyez tranquille : je m'occuperai de tout.
❑ ordre   ❑ promesse   ❑ prévision

2. Vous ferez faire une analyse de sang tous les mois.
❑ conseil   ❑ consigne   ❑ prescription

3. La planète se réchauffera progressivement.
❑ prévision   ❑ promesse   ❑ décision

4. Je partirai demain soir, dernier délai.
❑ demande   ❑ décision   ❑ promesse

5. Moi, je prendrai un thé citron.
❑ prévision   ❑ conseil   ❑ demande

6. Tu me feras un rapport très précis de cette réunion, s'il te plaît.
❑ ordre   ❑ conseil   ❑ promesse

7. C'est sûr : je serai ici à 8 h 30 précises.
❑ prévision   ❑ décision   ❑ promesse

8. Attends les soldes : ça te coûtera moins cher.
❑ promesse   ❑ ordre   ❑ conseil

6) Doubles pronoms

Récrivez les phrases en pronominalisant les expressions soulignées :

EXEMPLE ● *Pierre a prêté <u>son caméscope</u> <u>à Fabien</u>.* → *Pierre **le lui** a prêté.*

1. J'ai prêté <u>ma veste</u> <u>à Géraldine</u> parce qu'elle avait froid.

....

2. Tu as emprunté <u>son livre de grammaire</u> <u>à Françoise</u>.

....

3. J'ai apporté <u>mes lunettes</u> <u>à l'opticien</u>.

....

4. Nous avons envoyé <u>nos vœux</u> <u>à nos amis.</u>

....

5. Vous avez montré <u>vos photos de vacances</u> <u>à Antoine et Évelyne.</u>

....

6. J'ai rappelé <u>à Francis</u> <u>qu'il devait passer chez Lucile.</u>

....

7. J'ai signalé <u>aux ingénieurs</u> <u>cette belle erreur de calcul.</u>

....

8. Hélène a servi <u>sa choucroute</u> <u>à ses invités.</u>

....

9. Gérard et Claudine ont parlé <u>de leurs projets</u> <u>à leurs parents.</u>

....

10. J'ai raconté <u>à Victor</u> <u>l'histoire du fou qui repeint son plafond.</u>

....

7) Doubles pronoms

Répondez aux questions en complétant les phrases :

1. – Tu as rendu ses clés à Marie-France ?

   – Oui, je ....

2. – Tu peux me prêter ta voiture, lundi ?

   – Non, je ne peux pas .... parce que je la laisse chez le garagiste
   pour une révision générale.

3. – Est-ce que tu as envoyé à Annie les photos de son anniversaire ?

   – Oui, je .... hier.

4. – Est-ce que tu as dit aux Dupic qu'on les attend dimanche à midi ?

   – Oui, je ....

5. – Est-ce que tu as donné des cerises aux enfants ?

   – Oui, je .... un plein panier.

6. – Mademoiselle Dupré, est-ce que vous avez faxé ma réponse à la directrice ?

   – Oui, monsieur, je .... dès la fin de la réunion.

7. – Chérie, est-ce que tu as pensé à emprunter des CD à Claude pour la soirée de demain ?

   – Oui, je .... une bonne vingtaine.

8. – Tu ne m'as pas présenté ta nouvelle petite amie ?

   – Mais si, rappelle-toi, je .... avant-hier, au café Pasteur.

8) Chronologie du récit

**Lisez le fait divers ci-dessous et remettez les phrases dans l'ordre pour reconstituer le récit.
Pour vous aider, vous pouvez auparavant faire l'exercice de vocabulaire de la page 74.**

Vache contre moto

1. Le motard, âgé de 21 ans, souffrait de multiples contusions et a été transporté à l'hôpital.
2. La moto a violemment heurté un animal.
3. Christophe Parent, originaire de Vaux-en-Auxois, circulait à moto hier matin sur la route
départementale D 311, à Ferrières-le-Château.
4. La vache a survécu au choc et a tranquillement regagné son champ.
5. À 10 h 25, au lieu-dit « Près la Mare », il n'a pu éviter un troupeau de vaches qui traver-
sait la route.

Exercice de vocabulaire

À chaque mot de la série 1 correspond un mot synonyme dans la série 2. Trouvez ce mot :

Série 1
1. un motard
2. une contusion
3. multiples
4. circuler
5. violemment
6. heurter
7. un lieu-dit
8. survivre
9. tranquillement

Série 2
a. rouler
b. être sain et sauf
c. un endroit
d. brutalement
e. un motocycliste
f. nombreux / nombreuses
g. frapper
h. calmement
i. une blessure

1	2	3	4	5	6	7	8	9

9) Orthographe : les homophones grammaticaux *l'a / l'as / la / là*

Complétez les phrases avec l'expression qui convient :

1. On .... connaît, ton histoire ! On .... déjà entendue cent fois !

2. Alors, tu .... reçue, la lettre de Jean-Paul ?

3. Je ne suis .... pour personne : j'ai beaucoup de travail.

4. Regarde cette jolie photo : c'est Edouard qui .... faite.

5. Nous allons d'abord à Lyon et, de ...., nous prendrons l'avion pour Izmir.

6. Martine est la reine de la tarte aux pommes : elle .... réussit toujours à la perfection.

7. Tu .... reconnue ? C'est Aline.

8. Je connais bien Ghislaine ; je .... vois tous les jours au bureau.

9. Je cherche ma montre ; tu ne .... pas vue ?

10. Gérard a recueilli une petite chienne abandonnée. Il .... soignée et .... apprivoisée.

1) Hypothèses

Écoutez et dites si ce qui est évoqué se rapporte au passé, au présent ou au futur :

	Passé	Présent	Futur
1			
2			
3			
4			
5			
6			
7			
8			
9			
10			

2) Conditionnel passé

Mettez les verbes au conditionnel passé :

1. Si j'avais entendu le téléphone sonner, j'(pouvoir) .... parler à Maria.

2. Si j'avais attendu un peu, j'(payer) .... mon ordinateur moins cher.

3. Si je n'avais pas pris un taxi, je (arriver) .... en retard à mon rendez-vous.

4. Si tu connaissais l'anglais, tu (comprendre) .... le message de Tom.

5. Si nous étions sortis ce matin, nous (éviter) .... la pluie.

6. Si vous m'aviez donné votre numéro de portable, je vous (prévenir) .... que la réunion était annulée.

7. S'il était resté dix minutes de plus, il (rencontrer) .... Anne-Lise.

8. S'il avait cherché sérieusement, il (trouver) .... du travail.

9. Si j'avais connu Jeanne plus tôt, je l'(épouser) ....

10. Si je n'avais pas écouté mes parents, je (devenir) .... acteur.

3) Sens du conditionnel passé

Écoutez et identifiez l'intention de communication formulée :

	Reproche	Excuse	Remerciement	Regret
1				
2				
3				
4				
5				
6				
7				
8				
9				

4) Cause / conséquence / résultat

Transformez les phrases selon le modèle :

EXEMPLE ● *Tu ne m'as pas expliqué la situation et donc j'ai dit des bêtises.* →
Si tu m'avais expliqué la situation, je n'aurais pas dit de bêtises.

1. Tu ne m'as pas donné la bonne pièce, je n'ai pas pu réparer la douche.

....

2. Je ne suis pas arrivée à l'heure, j'ai raté le train.

....

3. J'ai dormi pendant la conférence et de ce fait, je n'ai pas pu poser de questions à la fin.

....

4. La France a perdu la Coupe du monde et l'entraîneur a été licencié.

....

5. Jean-Marie a été odieux et par conséquent je l'ai mis à la porte.

....

6. Il n'a pas été aimable, je n'ai pas dîné avec lui.

....

7. Le spectacle n'était vraiment pas intéressant, alors je suis partie avant la fin.

....

8. Jacques n'a pas été habile, il n'a pas été recruté.

....

9. Les Durand ne sont pas venus, Alain n'a pas pu les rencontrer.

....

5 Ce qu'il ne fallait pas faire

Écoutez et indiquez quel enregistrement correspond à chaque situation :

a. Vous avez raté votre première soirée avec une amie. → Enr. n° ....

b. Vous avez perdu le billet de Loto qui était gagnant. → Enr. n° ....

c. Vous avez manqué un rendez-vous important. → Enr. n° ....

d. Vous avez offert des fleurs à une fleuriste. → Enr. n° ....

e. Vous avez oublié une date importante pour une amie. → Enr. n° ....

f. Vous avez appelé un ami qui vient de se casser la jambe
pour faire une promenade en vélo. → Enr. n° ....

g. Vous avez demandé des nouvelles de sa femme
à un collègue qui vient de divorcer. → Enr. n° ....

h. Vous avez dit du mal de sa copine à un ami. → Enr. n° ....

6 Remerciements

Écoutez et, en reformulant ce qui est dit, rédigez un mél qui reprend la situation évoquée :

1. Marc,

Si ....

....

....

....

2. Alain,

Je te remercie : si ....

....

....

....

3. Luc, merci : si ....

....

....

....

4. Chère Christiane,

Si ....

....

....

....

5. Jeanne,

Si ....

....

....

....

7) Si / sinon

Reconstituez les phrases :

1. Si tu avais fait les courses,
2. Si tu as le temps, passe à la pharmacie,
3. Si ce matin tu m'avais réveillée,
4. Si vous aviez eu plus de patience,
5. Si tu n'avais pas oublié de faire le plein,
6. Si tu m'avais dit que c'était l'anniversaire de Marlène,
7. Si vous aviez écouté les informations,
8. Si j'avais su qu'elle n'aimait pas les chocolats,
9. Si Marc ne s'était pas cassé la jambe,
10. Si Jacques est là, dis-lui qu'il me rappelle,
11. Si j'avais acheté un ordinateur,
12. Si vous avez des roses, j'en prendrai une douzaine,
13. Si nous trouvons des billets, nous pourrons partir à Rome,
14. Si tu y avais pensé avant,

a. je lui aurais apporté un cadeau.
b. nous aurions pu inviter tes amis brésiliens samedi.
c. sinon, donnez-moi des œillets.
d. nous aurions de quoi dîner.
e. vous auriez su qu'il ne fallait pas prendre la route aujourd'hui.
f. sinon, j'irai acheter demain le médicament dont j'ai besoin.
g. sinon, nous pourrions aller quelques jours à Naples.
h. nous aurions pu partir au ski.
i. Jean ne se serait pas fâché parce qu'il ne comprenait pas ce que vous vouliez.
j. j'aurais pu faire mon travail plus vite.
k. nous ne serions pas en panne en rase campagne.
l. je n'aurais pas raté mon train.
m. je lui aurais offert des fleurs.
n. sinon, je passerai le voir demain.

1	2	3	4	5	6	7	8	9	10	11	12	13	14

8) Orthographe : les graphies du son [s]

a) Dans le texte suivant, indiquez toutes les manières d'écrire le son [s] :

La semaine dernière, nous avons visité un parc naturel dans le Sud : il y avait des cigognes, des flamands roses, toutes sortes d'oiseaux, mais aussi des serpents et des poissons. C'était très intéressant.

Cette semaine, nous partons en voyage à Sceaux voir des parents qui sont assez sympas ; j'espère que nous passerons quelques journées agréables.

....

....

b) Et maintenant, dites combien de fois vous trouvez la lettre « s » écrite :

....

9) Conditionnel / futur : les confusions verbales

Complétez avec la forme verbale qui convient en choisissant, selon le cas, le futur ou le conditionnel :

1. Je (venir) .... te chercher après 17 heures.

2. Quand j'aurai fini ce roman, si tu veux, je (pouvoir) .... te le prêter.

3. Je (vouloir) .... bien partir à l'étranger.

4. Excusez-moi, je (souhaiter) .... parler à monsieur Barthez.

5. D'accord, je (faire) .... ce que tu m'as dit.

6. Moi, à ta place, je ne (faire) .... pas comme ça.

7. J'(aller) .... bien te voir, si j'avais une semaine de congés.

8. Je t'(envoyer) .... des nouvelles dès mon arrivée.

9. J'(aimer) .... tellement revoir Madeleine !

10. J'(aller) .... te voir, si tu as besoin de moi.

10) Orthographe : les homophones *leur / leurs*

a) Complétez avec l'expression qui convient :

1. Marc et Ginette attendent .... parents la semaine prochaine.

2. Tu as vu les jumeaux ? Tu as pensé à .... souhaiter .... anniversaire ?

3. Les enfants ont encore oublié .... affaires à l'école.

4. Pierre et Françoise ont perdu .... chien.

5. Les enfants ont été supris par la pluie : .... vêtements sont trempés.

6. Jacques, Annie et Olivier doivent partir tôt : il .... faut bien deux heures pour rentrer à Lyon.

7. Je suis fâché avec les Cordier : je ne .... parle plus.

8. Les visiteurs sont priés de déposer .... sac à la consigne avant de pénétrer dans le musée.

9. Nos voisins sont désolés : .... appartement a été cambriolé pendant .... absence.

10. J'ai rencontré Patrick et Josiane et je .... ai proposé de venir dîner avec nous.

b) Essayez d'énoncer une règle :

....

....

....

Parcours 4

Séquence 13

1) Sentiments

Écoutez et indiquez quel enregistrement correspond au sentiment exprimé (plusieurs réponses sont parfois possibles) :

a. La joie.   → Enr. n°........

b. La colère.   → Enr. n°........

c. La tristesse.   → Enr. n°........

d. La surprise.   → Enr. n°........

e. La confiance   → Enr. n°........

f. L'inquiétude.   → Enr. n°........

g. L'admiration.   → Enr. n°........

2) Mise en relief

Transformez les phrases selon le modèle :

EXEMPLE ● *J'ai peur de l'insécurité dans les villes.* → *Ce qui me fait peur, c'est l'insécurité dans les villes.*

1. Chez cette collègue, j'apprécie beaucoup la discrétion.

....

2. Dans ce restaurant, j'aime bien le couscous.

....

3. Je déteste les séries à la télévision.

....

4. L'absence de Maud m'ennuie.

....

5. Dans le Sud, j'adore la chaleur des gens.

....

6. J'aime beaucoup l'humour de cette fille.

....

7. L'assurance de Jacques m'énerve.

....

8. Je crains le côté imprévisible de Jean-Louis.

....

3) Sentiments

Choisissez la phrase qui correspond au sentiment ou à l'attitude exprimés :

1. L'indifférence
- ❏ Vous ne pouvez vraiment pas faire ça !
- ❏ Vous pouvez faire ce que vous voulez, cela m'est égal !
- ❏ Vous n'avez pas fait ça, ce n'est pas possible !

2. La satisfaction
- ❏ J'aurais bien voulu le voir avant son départ.
- ❏ Il n'a pas semblé très heureux de la revoir.
- ❏ Je suis contente de l'avoir vu, j'ai pu régler plusieurs problèmes.

3. La surprise
- ❏ Il a acheté une moto plus puissante que la mienne.
- ❏ Je n'ai vraiment pas assez d'argent pour acheter une moto.
- ❏ Ta grand-mère a acheté une moto !

4. Le dégoût
- ❏ Ce qu'il a fait, c'est vraiment bien.
- ❏ Ce qu'il a fait, c'est ignoble !
- ❏ Ce qu'il a fait est inattendu.

5. L'optimisme
- ❏ Je suis sûre que tout va s'arranger.
- ❏ Je ne crois pas que ça ira mieux demain.
- ❏ Je ne sais pas s'il fera beau demain.

6. L'enthousiasme
- ❏ Fabienne est reçue à son concours ? C'est formidable !
- ❏ Je suis content de la réussite de Fabienne.
- ❏ Ah bon ? Fabienne est reçue à son concours ?

7. La sympathie
- ❏ Julie est un peu excitée, elle devrait se calmer !
- ❏ Julie est intéressante mais vraiment trop prétentieuse.
- ❏ Je trouve que Julie est une personne vraiment agréable et pleine d'humour.

8. La révolte
- ❏ C'est inacceptable de donner un salaire aussi faible à ces gens.
- ❏ Ces gens ont le salaire qu'ils méritent.
- ❏ Ces gens ne sont pas trop mal payés pour le travail qu'ils font.

9. Le soulagement
- ❏ Je suis allé au commissariat mais ils n'ont pas retrouvé mon portefeuille.
- ❏ C'est incroyable, j'ai perdu mon portefeuille.
- ❏ Ouf ! J'ai retrouvé mon portefeuille.

4) Critiques de livres

Analysez ces deux critiques selon la grille proposée ci-dessous :

1. Le dernier roman de Gilles Del Pappas, *Le Cœur enragé*, permet au lecteur de retrouver son héros Constantin, dit Le Grec. De retour à Marseille, il est aussitôt entraîné dans une aventure sombre mais haletante avec la lumière du Sud en toile de fond. Le Grec évolue dans cette aventure fantasque avec une bonne dose d'humour et de dérision. Ce huitième roman qui nous replonge dans la mémoire de la ville et les années 70, à travers une écriture vive et imagée, est un vrai bonheur.

2. *Debout les morts* de Fred Vargas nous propose un suspens bien ficelé avec des personnages un peu délirants mais attachants. L'intrigue démarre sur l'angoisse d'une cantatrice qui a trouvé un jour un arbre dans son jardin. À partir de là, Fred Vargas va nous guider dans une histoire complexe. Son écriture est nerveuse et claire. Mais nous avons préféré les productions précédentes de l'auteur qui nous ont paru plus originales.

	1	2
Titre		
Auteur		
Thème		
Appréciation sur le sujet		
Qualité de l'écriture		
Appréciation globale		
Opinion du critique		

5) Compréhension orale / expression écrite

Rédigez une critique de film à partir de l'enregistrement et des éléments qui suivent :

Film d'action – Scénario original – Acteurs excellents – Indispensable de voir ce film.

....
....
....
....
....
....

6 Mise en relief

Transformez les phrases selon le modèle :

EXEMPLE ● *Cette ville a beaucoup de charme.* → *C'est une ville qui a beaucoup de charme.*

1. Ce film est vraiment très intéressant.

....

2. Vous avez emprunté mes clés ?

....

3. Je préfère le premier film d'Almodovar.

....

4. J'aime les plages du Brésil.

....

5. Je suis étonnée par la vivacité de Jacqueline.

....

6. Je suis touchée par votre gentillesse.

....

7. Dans ce village, il faut absolument visiter l'église.

....

8. Vous avez oublié une photo d'identité.

....

7 Réactions

Observez chaque dessin et écrivez un petit texte pour dire quels sentiments il vous inspire :

1.

2.

1. ....

....

2. ....

....

8) Opinions

Classez les différentes opinions de la plus positive à la plus négative :

1. Ce garçon est vraiment extraordinaire, plein d'humour, il est beau, intelligent et très sympa. Je l'adore.

2. Cette ville est d'une tristesse, c'est sinistre, et les gens ne sont pas du tout sympathiques !

3. J'ai vu le dernier film de Bernard Pons, c'est pas mal, je me suis un peu ennuyé, il aurait pu faire quelque chose de mieux.

4. Ton cadeau me plaît beaucoup, je suis très contente.

5. Cette fille est gentille, mais elle n'est pas très rapide, elle m'énerve un peu, il faut tout lui expliquer sinon, elle ne prend aucune initiative.

6. J'ai passé mes vacances dans un endroit extraordinaire, magnifique, calme, je n'ai jamais été aussi heureuse de ma vie !

7. Je n'aime pas trop ton ami Marcel, je ne le trouve pas très dynamique, mais il a l'air de bien connaître son travail.

8. Ce film est assez médiocre, il n'y a pas d'idées originales et c'est très long, j'aurais mieux fait de me trouver un bon livre.

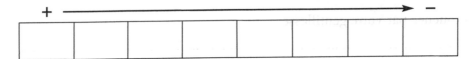

9) Sentiments

Choisissez l'expression qui convient pour continuer chaque phrase :

1. Adèle est vraiment en retard, elle devrait être ici depuis deux heures.
   - ❑ Ça m'amuse.
   - ❑ Ça m'inquiète.
   - ❑ Ça me fait plaisir.

2. Paul a eu son bac avec la mention très bien,
   - ❑ quelle inquiétude !
   - ❑ quelle satisfaction !
   - ❑ quelle déception !

3. Tu as vu ce qui s'est passé aux élections ! C'est incroyable !
   - ❑ Je suis indigné !
   - ❑ Je suis indifférent !
   - ❑ Je suis résigné !

4. Ton ami est très intéressant et drôle,
   - ❑ j'ai beaucoup d'indignation pour lui.
   - ❑ j'ai beaucoup de sympathie pour lui.
   - ❑ j'ai beaucoup de surprise pour lui.

5. Je ne pensais pas que Marc réagirait aussi mal,
   - ❑ je suis satisfaite.
   - ❑ je suis curieuse.
   - ❑ je suis déçue.

6. Je suis ravie, samedi prochain, je vais descendre une rivière en canoë, je n'ai jamais fait ça,
- ❑ ça me laisse indifférente.
- ❑ ça m'excite.
- ❑ ça m'est égal.

7. L'attitude de Gérard est vraiment nulle, on dirait qu'il méprise tout le monde.
- ❑ Ça me fait plaisir.
- ❑ Ça m'ennuie.
- ❑ Ça me révolte !

8. J'ai réussi à terminer mon travail dans les délais,
- ❑ je suis très satisfaite.
- ❑ je suis très triste.
- ❑ je suis très révoltée.

10) Adverbes

Complétez le texte avec les adverbes qui correspondent aux adjectifs entre parenthèses :

EXEMPLES ● *Triste* → *tristement. Joyeux* → *joyeusement.*

Je regrette (amer) .... d'avoir fait confiance à Jacques pour ce travail sans

vérifier qu'il pouvait (vrai) .... le faire : il a (complet) ....

raté la présentation de ce dossier et il a (seul) .... repris les éléments que je

lui avais donnés sans les transformer. (heureux) .... , j'ai recruté une jeune

fille très bien qui va pouvoir reprendre l'ensemble. Ce sera (certain) ....

difficile pour elle mais je suis sûr qu'elle y arrivera. La prochaine fois, je serai plus prudent ;

parfois, je prends des décisions trop (rapide) .... et je me laisse impres-

sionner (facile) ....

11) Qualités / défauts

Écoutez et notez le numéro de l'enregistrement qui correspond à un défaut ou une qualité :

Qualité	Enr. n°	Défaut	Enr. n°
Il / Elle est très sensible.		Il / Elle est insensible à tout.	
Il / Elle est ponctuel(le).		Il / Elle est toujours en retard.	
Il / Elle est très fiable.		Il / Elle n'est pas fiable.	
Il / Elle est modeste.		Il / Elle est prétentieux(tieuse).	
Il / Elle est attentif(ive) aux autres.		Il / Elle est ambitieux(tieuse).	
Il / Elle est généreux(reuse).		Il / Elle est égoïste.	
Il / Elle est intelligent(e).		Il / Elle n'est pas très intelligent(e).	
Il / Elle a le sens de l'humour.		Il / Elle est sinistre.	
Il / Elle est ordonné(e).		Il / Elle est très désordonné(e).	
Il / Elle a le sens des réalités.		Il / Elle n'a pas les pieds sur terre.	

1) Opposition

Complétez les phrases en choisissant le mot ou le groupe de mots qui convient :

1. Jean-Michel s'est blessé à ski. Je lui avais .... dit d'être prudent.
(pourtant / même si / malgré)

2. Je dois absolument rencontrer M. Dormeuil, ... je ne l'aime pas beaucoup.
(même si / malgré / si)

3. J'aime bien Sylvie .... son mauvais caractère.
(grâce à / malgré / cependant)

4. Josette n'est pas vraiment belle, et .... elle a beaucoup de charme.
(même si / pourtant / malgré)

5. .... la présence de nombreux supporters, l'équipe de Lens n'a pas gagné.
(à cause de / cependant / malgré)

6. Anatole France est un grand auteur ; .... , il est peu lu aujourd'hui.
(même si / cependant / malgré)

7. Yannick a raté son baccalauréat .... ses efforts réguliers.
(pourtant / en dépit de / même si)

8. .... Véronique m'avait invitée, je ne serais pas allée à son anniversaire.
(malgré / pourtant / même si)

2) Opposition

Cochez le groupe de mots qui convient pour compléter chaque phrase :

1. L'équipe de Monaco est bien placée pour gagner le championnat malgré
❑ sa récente victoire contre Lille.
❑ sa récente défaite contre Lille.
❑ son titre de champion.

2. La critique est généralement mauvaise, et pourtant
❑ le film de Jean Santeuil est un échec complet.
❑ le film de Jean Santeuil est un succès commercial étonnant.
❑ le film de Jean Santeuil n'a pas été primé à Cannes.

3. Même si j'y vais trop peu, à cause du travail,
❑ je déteste le théâtre.
❑ je vais souvent au théâtre.
❑ j'adore le théâtre.

4. Je connais vraiment peu Laetitia Manzoni, et pourtant

❑ elle m'a invité à passer quatre jours dans sa maison de campagne.

❑ elle ne m'a jamais invité.

❑ elle m'a rarement invité chez elle.

5. J'apprécie beaucoup Raphaël malgré

❑ toutes ses qualités.

❑ tous ses amis.

❑ tous ses défauts.

6. L'économie mondiale semble repartir en dépit de

❑ nombreuses hausses en bourse.

❑ nombreux signaux rassurants.

❑ quelques signaux alarmants.

7. Malgré un régime assez strict,

❑ j'ai perdu 3 kilos.

❑ j'ai pris 2 kilos.

❑ j'ai maigri.

8. Tu connais tous les ennuis que m'a causés Jean-Baptiste, et pourtant

❑ je l'aime bien.

❑ je le déteste.

❑ je ne l'aime pas beaucoup.

3) Critiquer / argumenter

Lisez les critiques d'émissions télévisées suivantes et cochez dans le tableau page 90 la case qui correspond au jugement :

1. *Les Enfants du ballon rond* (documentaire) – Cet excellent documentaire est une rencontre avec des enfants de dix nationalités différentes mais qui partagent tous une même passion : le football. C'est l'occasion d'une analyse très fine de la fonction essentielle, dans la plupart des pays, du sport spectacle. Mais c'est aussi une émouvante galerie de portraits d'enfants qui, dans les yeux, ont des étoiles en forme de ballons ronds...

2. *Une Vie infernale* (film / comédie) – Éva trouve que la vie n'a pas été généreuse avec elle. Elle se juge laide et sans charme. Elle n'a donc aucun succès avec les hommes. Découragée, elle invoque un jour le diable...
Cette réécriture bien maladroite du mythe de Faust donne une comédie consternante de bêtise et de vulgarité. Sauvez-vous comme si vous aviez le diable aux trousses !

3. *Pub Show* (magazine) – Fidèle à son habitude, le magazine de Jean-Christophe Augier nous dévoile les secrets du festival du film publicitaire de Cannes. Des spots publicitaires de qualité, parfois très amusants, une bonne approche des réalités économiques et les nouvelles tendances de la publicité à l'échelle internationale, mais on peut regretter le manque de distance critique et d'ironie.

4. *Napoléon : la chute d'un géant* (émission historique) – Beaucoup trop d'indulgence dans cette émission pour « le boucher de l'Europe » ! Les historiens invités sur le plateau tiennent un discours étonnamment apaisé et évitent prudemment de prendre parti devant le tribunal de l'Histoire. Un bon moment, cependant : la rapide rétrospective des films inspirés par l'épopée napoléonienne. Mais cela ne rachète pas la tiédeur d'un propos historique peu crédible.

5. *Le Malaise* (film / drame) – Surtout, ne vous fiez pas au titre : ce film est un vrai bonheur. Une intrigue d'une intensité dramatique extraordinaire, une fin complètement inattendue, un jeu d'acteurs flamboyant (Charles Krambasle est tout à fait admirable) ; tout est ici réuni pour passer une excellente soirée devant votre téléviseur.

6. *XX = XY* (débat) – Beaucoup de déclarations de bonnes intentions dans ce débat sur le féminisme et l'égalité des sexes. Les invités – tant hommes que femmes – sont brillants et convaincants mais l'émission laisse sur sa faim. On a l'impression que les vrais problèmes (notamment économiques) ont été plus ou moins évités. De telles émissions ont cependant une utilité certaine, celle de faire avancer le débat.

7. *Voisinages* (jeu) – Rien à faire, rien à voir, rien à dire. Le spectacle de ces jeunes gens qui passent leur temps à tenir des propos creux est une blessure faite à l'intelligence. À éviter absolument.

8. *Rugby : France / Écosse* (reportage sportif) – *Retransmission du match du samedi 14 novembre.* Un grand moment de sport, de fair-play, d'élégance. Ce match est un morceau d'anthologie sportive. Malgré la défaite de la France, on prend un réel plaisir à revoir le ballet que nous jouent trente gentlemen. Il faut signaler également la qualité du commentaire de Gilbert Dassagne, l'envoyé spécial de France 2 à Glasgow.

	1	2	3	4	5	6	7	8
Très favorable								
Plutôt favorable								
Plutôt défavorable								
Très défavorable								

4) Argumenter : vacances en France ou vacances à l'étranger ?

Écoutez et distinguez les arguments utilisés par les deux interlocutrices (Élise qui passe ses vacances en Espagne et Lydie qui reste en France) ainsi que les arguments inutilisés :

1. En France, il y a de belles plages.

2. Partir à l'étranger, c'est avoir le plaisir d'être dépaysé.

3. La France a des richesses artistiques intéressantes.

4. L'Espagne est un pays riche sur le plan culturel.

5. En Espagne, il fait trop chaud.

6. En France, on parle... français !

7. Passer ses vacances à l'étranger permet de parler une langue étrangère.

8. En France, il y a une grande variété de paysages.

9. Les vacances permettent de rendre visite à ses amis et à sa famille.

10. À l'étranger, on peut se faire de nouveaux amis.

11. Il n'y a qu'en France qu'on mange bien ; à l'étranger, on mange mal.

12. Passer ses vacances en France coûte moins cher parce que la vie est meilleur marché.

13. En France, on peut être hébergé chez ses parents et ses amis et cela économise les frais d'hôtel.

14. En restant en France, un Français n'a pas de difficultés linguistiques.

15. Il y a trop de touristes à l'étranger pendant les vacances.

	Arguments utilisés par Élise	Arguments utilisés par Lydie	Arguments inutilisés
1			
2			
3			
4			
5			
6			
7			
8			
9			
10			
11			
12			
13			
14			
15			

5) Expression écrite : critiquer / argumenter

Après avoir lu la présentation du film, rédigez un article critique (positif ou négatif, selon votre choix) à partir des arguments qui vous sont proposés :

SPIDER-MAN, de Sam Raimi, avec Tobey Maguire (Peter Parker / Spider-Man) et Kirsten Dunst (Mary Jane).

Le jeune Peter Parker, élève d'une classe terminale de lycée, est piqué par une araignée transgénique en visitant, avec sa classe, un laboratoire. Il gagne alors certains attributs des araignées : il peut se déplacer rapidement le long des murs verticaux. Il peut lancer un fil d'araignée qui lui sert d'arme et de mode de déplacement (il bondit entre les immeubles). Il peut aussi tisser une toile d'araignée. Il était myope, timide et maladroit. Il devient un super-héros qui met ses capacités nouvelles au service du Bien et traque sans relâche le Mal, en la personne du Bouffon vert (qui est en fait le père de son meilleur ami). Ses exploits vaudront au jeune Peter l'amour de la belle Mary Jane...

Arguments négatifs :
– une intrigue simpliste et peu convaincante ;
– une histoire peu crédible ;
– un héros ahuri (au début du film) ;
– une science-fiction caricaturale ;
– un costume ridicule ;
– des effets spéciaux exagérés ;
– trop de bons sentiments ;
– un jeu d'acteurs conventionnel.

Arguments positifs :

– un générique magnifique ;
– une histoire simple ;
– une histoire positive où les valeurs du Bien et du Mal sont nettement définies ;
– des personnages jeunes et sympathiques ;
– le costume de Spider-Man ;
– les cascades et les trucages ;
– une histoire d'amour émouvante ;
– un respect de l'esprit de la bande dessinée ;
– une leçon d'humanité.

....

....

....

....

....

6) Argumenter / organisation logique du discours

Écoutez la conversation et remettez le texte dans l'ordre :

1. Mais la sieste présente un deuxième avantage : elle permet le repos du cerveau en construction de l'enfant.
2. Un « dodo » en début d'après-midi lui permet donc d'être en forme pour la fin de la journée.
3. Enfin, la sieste aide les enfants à grandir : d'abord parce que la position allongée soulage la colonne vertébrale,
4. Jusqu'à 4 ans, l'habitude de la sieste est tout à fait bénéfique pour les enfants.
5. ensuite, parce que c'est dans la phase de sommeil profond qui caractérise la sieste que l'organisme du petit enfant produit l'hormone de croissance.
6. En outre, une étude a montré que les enfants qui font la sieste dorment mieux la nuit parce qu'ils sont moins nerveux le soir.
7. Là encore, une étude effectuée dans la région Rhône-Alpes prouve que les enfants qui font la sieste développent de plus grandes capacités d'attention.
8. En effet, durant sa journée à l'école maternelle ou à la maison, le tout-petit se fatigue beaucoup.

4							

7) Argumenter / compréhension orale

Écoutez l'enregistrement et répondez au questionnaire :

	Vrai	Faux
1. La nourriture bio coûte plus cher que l'alimentation traditionnelle.	❑	❑
2. La nourriture bio est exclusivement à base de légumes.	❑	❑
3. L'agriculture biologique se développe en France.	❑	❑
4. L'agriculture biologique est un simple phénomène de mode.	❑	❑
5. Il est difficile de s'approvisionner quand on mange bio.	❑	❑
6. On trouve des aliments biologiques dans les grands magasins.	❑	❑
7. La nourriture bio n'est pas très bonne.	❑	❑
8. Manger bio, c'est souvent découvrir des produits nouveaux.	❑	❑

8) Grammaire : *en / y*

Reformulez les phrases en utilisant *en* ou *y* :

EXEMPLE ● *Le bus est arrivé très vite à l'aéroport.* → *Le bus **y** est arrivé très vite.*

1. Nous allons parler de votre conférence.

....

2. Je suis allée deux fois à Lyon la semaine dernière.

....

3. Je suis très content de ma nouvelle voiture.

....

4. Dis, il est temps de te rendre à ton rendez-vous.

....

5. Dans cette école, on enseigne le russe et le japonais.

....

6. J'ai travaillé des années au Canada.

....

7. Je ne me suis pas rendu compte de mon erreur.

....

8. Nous nous inquiétons de la situation.

....

9) Orthographe : les homophones *ni / n'y / nie / nid*

Complétez les phrases avec la graphie qui convient :

1. Les parents de Francis habitent à Franois, à 10 kilomètres d'ici, mais il .... va pas souvent.

2. C'est sombre, ici ! On .... voit rien !

3. Je ne sais pas si Ronald accepte notre proposition : il ne m'a dit .... oui .... non.

4. Le suspect est au commissariat depuis six heures, mais il .... toujours.

5. Le matin, je ne bois .... café .... thé ; je mange juste un fruit ou deux.

6. C'est un exposé difficile : je .... comprends pas grand-chose.

7. Regarde, sur la cheminée : un .... de cigogne !

8. C'est une jolie région, mais il .... a pas souvent de soleil ici.

1 **Gérondif**

Transformez les phrases selon le modèle :

EXEMPLE ● *Si tu vas trop vite, tu risques de te tromper.* → *En allant trop vite, tu risques de te tromper.*

1. Quand vous irez dans le Sud, passez chez Pierre.

....

2. Si les gens roulaient moins vite en ville, il y aurait moins d'accidents.

....

3. Quand je l'ai vue, j'ai compris qui elle était.

....

4. Si tu manges mieux, tu devrais maigrir.

....

5. Quand tu iras à l'épicerie, prends le journal.

....

6. Si tu prends cette petite route, tu gagnes une demi-heure.

....

7. Si tu mets un peu de vin, la sauce pour les champignons sera meilleure.

....

8. Si vous travaillez régulièrement, vous aurez votre examen.

....

9. Quand elle est sortie, elle pleurait.

....

2 **Gérondif**

Exprimez la simultanéité, la cause et la condition autrement que par le gérondif :

1. En téléphonant à Sylvie, tu sauras ce qui se passe entre elle et Paul.

....

2. En épousant Mark Schmoll, Rita Bato est devenue la femme la plus riche d'Allemagne.

....

3. En partant, tire la porte derrière toi.

....

4. En allant à Paris, j'ai rencontré Hubert dans le train.

....

5. En achetant cet appartement, tu ferais une bonne opération.

....

6. En lisant ce guide sur Madrid, j'ai beaucoup appris sur cette ville.

....

7. En inventant cet objet, Moulinex a révolutionné la vie de la ménagère.

....

8. En invitant Marc au bord de la mer, tu lui as permis de se changer les idées.

....

3 Gérondif

Transformez les phrases en utilisant un gérondif :

1. Parce qu'il pratique les arts martiaux, Pierre a acquis une grande sagesse.

....

2. Si tu appelais Annie, tu pourrais vérifier cette information.

....

3. Si tu pars demain dans le Sud, tu auras moins d'embouteillages.

....

4. Quand j'ai vu Adèle, j'ai compris qu'elle avait un problème.

....

5. Si tu envoyais des fleurs à Monique, tu lui ferais vraiment plaisir.

....

6. Parce qu'il a gagné cette course, il a touché beaucoup d'argent.

....

7. Si tu roulais moins vite, tu dépenserais moins d'essence.

....

8. Quand je suis allé à la poste, j'ai rencontré Gilbert.

....

4 Pronoms relatifs

Complétez avec _qui_, _que_ ou _dont_ :

1. Tu as reçu la lettre …..…. je t'ai envoyée ?

2. Je te passe le livre …..…. je t'ai parlé hier.

3. La seule chose …..…. me fait peur, c'est de ne pas finir ce travail à temps.

4. C'est un garçon …..…. est vraiment charmant.

5. Corfou, c'est une île …..…. j'adore.

6. Les gens …..…. j'ai gardé les enfants sont vraiment très gentils.

7. L'ami …..…. m'a prêté cet appartement travaille à l'étranger.

8. La seule chose …..…. je regrette, c'est de n'avoir pas vu Alain pendant ce voyage.

5 Pronoms relatifs

Reliez les deux propositions par un relatif :

1. C'est un objet inutile, je n'achèterai pas cela.

....

2. Jacques Ledoux est écrivain, tout le monde en parle.

....

3. Nous allons aborder un problème aujourd'hui, ce problème est très important.

....

4. Aline est l'amie de Paul, elle vient d'arriver à Grenoble.

....

5. C'est un appareil utile, il coûte très cher.

....

6. Maria est étudiante, elle vient de Barcelone.

....

7. C'est un roman policier de Camilleri, je t'en ai parlé.

....

8. Alain est peintre, il a fait une exposition le mois dernier à Lausanne.

....

6 Accords du participe passé

Complétez avec le participe passé des verbes entre parenthèses :

1. Jeanne est (arriver) .... jeudi dernier.

2. Les Lebrun sont (partir) .... en vacances hier, ils sont (aller) .... en Italie.

3. Nous avons (voir) .... une pièce de théâtre géniale.

4. Ils ont (acheter) .... une vieille Mercedes.

5. Tous les amis de Vanessa sont (venir) .... pour son anniversaire.

6. Dominique n'est pas là, elle est (monter) .... au deuxième étage travailler avec une collègue.

7. Il est (rentrer) .... tout seul.

8. Vous êtes tous (inviter) .... au vernissage de Jean-Paul.

9. Elle a (écrire) .... un livre de cuisine remarquable.

10. Blandine et Julie sont (naître) .... le même jour.

7) Accords du participe passé

Complétez avec le participe passé des verbes entre parenthèses :

1. La dernière maison que j'ai (visiter) .... me convient tout à fait.

2. C'est la montre que j'ai (acheter) .... pour l'anniversaire de Léo, il est toujours en retard.

3. Elle a (prendre) .... le train ce matin à 6 heures.

4. J'ai (visiter) .... une imprimerie, c'était intéressant.

5. Ce sont les amis dont je t'ai (parler) ....

6. C'est une cinéaste que j'ai (rencontrer) .... dans un festival il y a longtemps.

7. Nous avons (voir) .... les délégués syndicaux pendant deux heures.

8. Elles sont déjà (venir) .... ici l'été dernier.

9. Il a (parler) .... une heure avec elle au téléphone.

10. Les vêtements qu'elle a (donner) .... à Maxime lui vont très bien.

8) Accords du participe passé

Complétez avec la terminaison qui convient :

1. Les deux romans que tu m'as prêt…..... sont géniaux.

2. Elles sont part…..... très tôt.

3. Ils ont achet…..... une maison près de Toulon.

4. Marina est n…..... à Marseille.

5. La fille que tu m'as présent…..... hier est très sympa.

6. Elle a termin…..... ses études de droit.

7. Il y a de vieux livres entass…..... au fond du grenier.

8. Marina et Luc sont arriv…..... en France il y a une semaine, je les ai v…..... hier soir.

9. La moto que j'ai achet…..... est en panne.

10. Je viens de trouver une maison abandonn…..... depuis des années.

9) Accords du participe passé

Complétez les phrases en mettant les verbes entre parenthèses au passé composé :

1. J'(prendre) .... deux semaines de congés.

2. J'(voir) .... le dernier film de Tavernier et j'ai aimé.

3. Paul et Annie (partir) .... hier soir.

4. Maria (arriver) .... par le train de 15 h.

5. Les livres que tu m'(envoyer) .... sont vraiment intéressants.

6. Hier, j'(perdre) .... mes clés de voiture, je (rentrer) .... en bus à la maison.

7. Marina (naître) .... le 1er avril.

8. Nous (aller) .... passer une semaine en Grèce.

9. Dans ce cours, j'(apprendre) .... beaucoup de choses.

10) Compréhension écrite

a) Après avoir lu les quatre articles suivants, répondez au questionnaire :

Communiquer européen

Selon un sondage de l'Observatoire Thalys, spécialiste des modes de vie en Europe, 28 % des Européens souhaiteraient mieux connaître les habitudes culturelles de leurs voisins bien avant de supprimer les frontières.

Temps fluctuant en France, heure tapante en Allemagne

Soucieux d'éviter les impairs, de plus en plus de cadres se forment aux subtilités des communications internationales. Bon nombre d'anecdotes existent sur les malentendus liés à un sens de la relation humaine variable. D'après M. Kopp, directeur d'Euro Triade : « Communiquer à la française, c'est souvent lire entre les lignes et rarement aller droit au but. Tandis que les Allemands prennent les choses au pied de la lettre. »

Les Allemands seraient plus rationnels et organisés. Si rendez-vous est pris à 19 heures, le Berlinois sonne à votre porte à 19 heures pile, quitte à attendre dans sa voiture s'il est arrivé plus tôt. Les Français, eux, privilégient l'affectif. Une fois pris dans la conversation, il n'est pas rare qu'ils oublient le rendez-vous suivant. D'où leur réputation de retardataires.

Ça va ou ça ne va pas ?

À la question traditionnelle : « Comment ça va ? », un Anglais se doit de répondre comme les Français : « Bien ». En Italie et en Grèce, on dit toute la vérité et on peut raconter ses petits soucis à une vague connaissance. Belges et Danois passent au tutoiement à la vitesse grand V[1]. Et comme il est courtois, un Portugais à qui vous demandez votre chemin, vous le donnera toujours…

Méga fête

Vos voisins européens vous invitent à faire la fête ? Mais qu'entendent-ils au juste par là ? Un dîner entre amis ou une folle soirée en boîte ? La recette varie du Nord au Sud du continent. Pour les Néerlandais, les Belges et les Allemands, qui pratiquent davantage le « chacun chez soi », faire la fête signifie généralement recevoir ses proches. En Espagne et en Italie, c'est surtout l'occasion de faire de nouvelles connaissances. Quant aux Britanniques, ils festoient au pub, lieu de retrouvailles et de rencontres.

1. *À la vitesse grand V : très rapidement.*

	Vrai	Faux
1. Les Français sont souvent en retard.	❑	❑
2. Les Allemands seraient moins organisés que les Français.	❑	❑
3. Les Français ne sont pas directs.	❑	❑
4. Il faut souvent deviner les choses avec les Français.	❑	❑
5. Les Allemands privilégient l'affectif.	❑	❑
6. Les Allemands arrivent à l'heure exacte.	❑	❑
7. En Grèce, on dit que tout va toujours bien.	❑	❑
8. En Italie, on peut raconter facilement ses problèmes aux personnes qu'on ne connaît pas bien.	❑	❑
9. Les Belges disent « tu » plus rapidement.	❑	❑
10. Les Néerlandais font la fête à l'extérieur.	❑	❑
11. Les Allemands reçoivent plutôt leurs proches à la maison.	❑	❑
12. En Europe du Sud, la fête, c'est surtout faire des rencontres.	❑	❑
13. Les Britanniques se retrouvent au pub.	❑	❑

b) Rédigez maintenant cinq affirmations qui correspondraient selon vous aux habitudes culturelles dans votre pays :

1. ....

2. ....

3. ....

4. ....

5. ....

11) Français familier

Parmi les phrases suivantes, indiquez celles qui vous semblent relever du français familier :

	Oui	Non
1. Jean-Marc, il est grave.	❏	❏
2. J'ai rencontré une jeune fille charmante.	❏	❏
3. Super, cette meuf !	❏	❏
4. On va faire une teuf ce soir !	❏	❏
5. C'est un endroit très agréable !	❏	❏
6. C'est craignos, ici !	❏	❏
7. Arrête de tchatcher !	❏	❏
8. Qu'est-ce qu'il parle bien!	❏	❏
9. Allez, casse-toi !	❏	❏
10. Je vous demande de sortir !	❏	❏
11. J'ai de super potes à Marseille.	❏	❏
12. Vous connaissez mes amis belges ?	❏	❏

1 Exposer

Écoutez les extraits de discours et précisez s'il s'agit du début, du milieu ou de la fin de l'intervention du conférencier. Précisez ensuite le thème de son intervention.

	Début	Milieu	Fin	Thème
1				
2				
3				
4				
5				
6				
7				
8				

2 Vocabulaire / verbes d'opinion

Complétez avec les verbes qui suivent : *considérer / estimer / juger / s'imaginer / évaluer / douter*.

1. Nous .... à cinq heures la durée nécessaire à ce travail.

2. Je .... qu'il accepte notre proposition.

3. Jean-François n'a pas .... bon de se présenter à la convocation du commissaire de police. Cela risque de lui attirer des ennuis.

4. Gabriel .... qu'il faut deux heures et quinze minutes environ pour se rendre à Bourbonne-les-Bains.

5. Je .... l'affaire comme terminée.

6. Fabien .... que nous lui accorderons tout ce qu'il demande, mais il se trompe lourdement.

3) Compréhension écrite

Remettez dans l'ordre le texte de la lettre suivante :

1. Votre candidature à un poste d'animatrice de centre de loisirs dans notre association me paraît tout à fait recevable compte tenu de vos qualifications et de votre expérience.

2. En ce qui concerne, ensuite, vos obligations de service, je vous précise qu'elles vont de 7 h 30 à 18 h 30 avec une journée de repos hebdomadaire.

3. Ce travail exige donc un très haut sens des responsabilités.

4. Mademoiselle,
J'ai bien reçu votre lettre en date du 12 mars 2002 et votre dossier qui ont retenu toute mon attention.

5. Je voudrais tout d'abord vous rappeler que les enfants qui sont confiés à notre association sont âgés de 7 à 12 ans.

6. (Le jour de repos est à déterminer en accord avec les autres animateurs.)

7. Dans l'espoir de vous compter bientôt parmi les membres de notre équipe, je vous prie d'agréer, Mademoiselle, l'expression de mes sincères salutations.

8. Enfin, le salaire mensuel est de 1 200 euros brut.

9. Je souhaiterais cependant porter à votre connaissance un certain nombre d'informations afin de vous permettre de faire votre choix en toute connaissance de cause.

10. Si ces conditions vous conviennent, je vous prie de bien vouloir prendre contact avec Madame Grosjean, secrétaire générale, au 01 76 37 21 21.

4) Français familier

Mettez en relation les phrases qui ont le même sens :

1. Il est ouf, ce mec !

2. Ouah ! la tchatche, ton pote !

3. Bon, on se casse.

4. Allez, à plus.

5. T'as rencard à quelle heure ?

6. Je pige que dalle.

7. Ma bécane est plantée.

8. Je me suis planté grave.

9. Ce mec, il a plein de fric.

10. Il s'est dégoté un taf.

11. J'en ai rien à cirer.

12. J'ai pas de thune.

a. À quelle heure est ton rendez-vous ?

b. C'est quelqu'un qui a beaucoup d'argent.

c. Ton ami est très bavard.

d. Je m'en moque.

e. Cet individu est complètement fou.

f. Je n'ai pas d'argent.

g. J'ai fait une grosse erreur.

h. À bientôt.

i. Je ne comprends rien.

j. Mon ordinateur est en panne.

k. Il a trouvé du travail.

l. Partons !

1	2	3	4	5	6	7	8	9	10	11	12

Écoutez la conversation et complétez la lettre de motivation de Lucien Régnier :

Lucien Régnier
7, rue de la République
69 002 Lyon

Monsieur le Maire
Mairie de Colmar
68 000 Colmar

Monsieur le Maire,

J'ai l'honneur de présenter ma candidature au poste de directeur des Affaires culturelles de la ville de ....

Je suis actuellement attaché au Conseil de la région .... comme adjoint au chef de service du Patrimoine historique et archéologique, Direction régionale de la Culture.

D'autre part, ..., de 1986 à 1992.

Ma candidature est motivée par mon attachement à l'Alsace.

Je suis originaire de Colmar et .... au lycée Kléber et à la faculté des lettres de .... où j'ai obtenu une licence en histoire.

.... une monographie consacrée à Colmar, publiée en 1982 et d'un roman historique, « Romuald le Tempérant », qui a obtenu le Prix Tomi Ungerer en 1995.

De plus, je suis le président .... qui regroupe les Alsaciens résidant à Lyon.

J'ai donc gardé beaucoup de contacts avec .... et sa vie culturelle, et c'est avec grand intérêt que j'ai appris la vacance du poste en question. .... par le développement culturel et je souhaite participer au rayonnement de la ville de Colmar, que je connais très bien.

Mon expérience, mes compétences administratives, mon savoir-faire en matière de gestion culturelle sont des atouts que je souhaite mettre à votre disposition.

Je vous prie d'agréer, Monsieur le Maire, mes salutations distinguées.

Lucien Régnier

6) Accords du participe passé

Complétez avec le participe passé des verbes entre parenthèses :

1. Fabrice a (présenter) .... ses excuses et elles ont été (accepter) .... par Claudine.

2. Est-ce que tu as (répondre) .... à la lettre de Jean-Paul ?

3. Nous avons (prendre) .... nos vacances au mois d'août.

4. Les Rouland sont (partir) .... avant-hier.

5. J'ai (retrouver) .... tes clés ; je te les ai (envoyer) .... par la poste. Tu les recevras demain.

6. Nous avons tous (souhaiter) .... un bon anniversaire à Nicole.

7. J'ai (passer) .... la soirée chez Véronique et Jeanne. Nous avons beaucoup (rire) ....

8. Plus de quarante millions de touristes étrangers sont (attendre) .... en France cet été.

9. La déclaration que le Premier ministre a (faire) .... hier soir a été (retransmettre) .... à la radio et à la télévision.

10. Antoine et Claudine ont (déménager) .... ce week-end.

7) Exposer

Remettez dans l'ordre l'exposé suivant :

1. Par ailleurs, l'accès à cet aéroport serait beaucoup plus facile depuis Paris.
2. Deuxièmement, il créerait de nouvelles difficultés dans certains villages qui subiraient à leur tour des nuisances sonores.
3. Je vais vous entretenir aujourd'hui du projet de construction autour de Paris d'un troisième aéroport.
4. Je vais d'abord vous rappeler le contexte de ce projet, puis examiner les avantages et les inconvénients liés à la construction d'un troisième aéroport.
5. Les retards sont quotidiens, les avions sont obligés d'emprunter des couloirs aériens qui provoquent des nuisances aux alentours des deux aéroports ; cet état de fait crée de nombreux désagréments aux usagers et aux employés des compagnies.
6. Cependant, ce projet présente certaines difficultés.
7. Et enfin, il ne faut pas oublier le coût de construction d'un tel projet.
8. Il est évident qu'à l'heure actuelle, les deux aéroports de Roissy et Orly sont saturés : quelles sont les conséquences de cette situation ?
9. Un projet de construction d'un nouvel aéroport à l'ouest de Paris est à l'étude : cet aéroport permettrait de diminuer le trafic des deux autres de façon vraiment significative.
10. Enfin, il ferait retrouver aux usagers un réel confort en termes d'accès et d'horaires.
11. Premièrement, il suppose d'exproprier un nombre important de propriétaires terriens dans la zone choisie.
12. Pour conclure, il faut prendre des décisions avec beaucoup de circonspection ; en effet, il y a peut-être des solutions différentes, comme le renforcement des aéroports de province.

TRANSCRIPTIONS

Parcours 1

Séquence 1

Page 6

1) Qu'est-ce qu'il a dit ?

1. Je vais faire un dîner samedi, je serais content que vous veniez.
2. Je ne sais pas faire ce devoir, tu aurais un moment demain matin ?
3. Alain va bien, il a eu quelques difficultés dans son travail, mais tout est réglé.
4. Vous ne pouvez pas sortir après 23 h.
5. Tu as une belle cravate.
6. Messieurs, je ne pourrai plus assurer mes fonctions de directeur à partir du mois prochain.
7. Je pense que tu devrais consulter un dermatologue.
8. Vous pourrez bientôt découvrir sur les écrans ma dernière réalisation.
9. Je vais à Mexico, je te rapporterai de la farine de maïs.
10. Je ne suis pas d'accord sur l'augmentation des impôts locaux.

Page 7

4) Message oral / message écrit

1. Je suis très heureux de vous accueillir dans notre ville, bienvenue aux représentants de la ville de Düsseldorf.
2. Il m'est impossible de recevoir M. Bûche.
3. Vous devriez vous adresser au gardien.
4. Votre façon de poser le problème me semble vraiment fausse.
5. Vous devez venir travailler demain à 7 heures, et je n'accepte aucune discussion.
6. Que penseriez-vous du passage aux 32 heures hebdomadaires ?

Page 8

7) Accepter / refuser

a. Oui, mais dans une demi-heure, je termine quelque chose.
b. Je n'ai pas le temps, merci.
c. Oui, avec plaisir, nous ne connaissons pas cette ville.
d. Non, je ne peux pas, je dois être au travail à 8 heures.
e. Ah non ! en ce moment, il n'y a rien.
f. Non, je n'aime pas la couleur.
g. Écoute, pas ce soir, je dois aller à la piscine chercher les enfants.
h. Non, mais je boirais bien un verre d'eau.

Page 9

8) Phonie / graphie : les homophones

1. Mets ton imperméable : il va pleuvoir.
2. J'ai fini de passer mes examens, je suis en vacances.
3. Raphaël est un garçon sympathique, mais il est un peu timide.
4. Tu vois, pour réussir cette recette, tu mets juste une cuillère à soupe de concentré de tomates en fin de cuisson.
5. Mais tu ne m'as pas prévenu de ton absence !
6. Je suis heureux : tous mes amis sont ici.
7. Où est-ce que je mets ta valise : sous le siège ou au-dessus ?
8. Je ne peux pas venir lundi mais c'est promis : je serai là mercredi.
9. À l'intérieur du pays, une lettre met en général vingt-quatre heures pour arriver à son destinataire.
10. Mais où sont passées mes clefs de voiture ?

Séquence 2

Page 10

2) Discours rapporté / impératif

1. Sois sympa, prête-moi 100 euros.
2. Viens ici immédiatement !
3. À mon avis, prends la robe noire, elle te va bien.
4. Prenez le TGV, ce sera moins cher !
5. Si tu ne te sens pas bien, rentre chez toi.
6. Viens prendre un café.
7. Pour aller à Paris, prenez plutôt le TGV.
8. Si vous voulez, rentrez chez vous pour terminer ce travail.
9. Donnez-moi un café, s'il vous plaît.
10. Ne fumez pas ici.

Page 11

4) Impératif

– Mmm ! ça a l'air bon ce que tu as fait. Qu'est-ce que c'est ?
– Un lapin en gibelotte.
– Comment tu fais ça ?
– Tu coupes ton lapin en morceaux. Tu fais sauter des oignons et des lardons dans du beurre. Ensuite, tu roules tes morceaux de lapin dans la farine et tu les fais griller aussi. Tu mélanges les morceaux de lapin avec les oignons et les lardons puis tu mouilles avec du bouillon et du vin blanc. Après, tu ajoutes le bouquet garni et tu laisses cuire à feu doux pendant vingt minutes.
– Et les champignons, tu les mets quand ?
– Tout de suite après, pendant la cuisson. Tu peux mettre aussi des pommes de terre avec les champignons.

Page 12

5) Oral / écrit

– Allô, bonjour Annie.
– Bonjour, Marie-Jeanne. Comment ça va ?
– Ça va, ça va. Je t'appelle à propos de notre projet de vacances en Corse.
– Ah, Oui, j'y pensais aussi.
– J'ai pu avoir des renseignements sur Internet et en écrivant au syndicat d'initiative d'Ajaccio. J'ai trouvé une formule de séjour qui me paraît intéressante.
– Oui ? dis-moi.
– Alors, c'est un séjour à Porticcio, à l'hôtel Rive-Sud. Ça coûte 852 euros par personne, en demi-pension, pour une semaine. Le vol Lyon-Ajaccio aller-retour est compris.
– Et c'est où, Porticcio ?
– Au sud d'Ajaccio... C'est dans le golfe d'Ajaccio, au bord de la mer.
– Et qu'est-ce qu'on peut y faire ?
– Plein d'activités ! De la plongée sous-marine, de l'équitation, des balades en bateau. Il y a un court de tennis, un sauna dans l'hôtel et un mini-golf.
– Et pour les enfants ?
– Il y a des possibilités de promenades à dos de poney et des animations de plage tous les jours : ils

appellent ça le Club Juniors… un karaoké tous les mercredis après-midi. Il y a un concours de pétanque le 17 juillet réservé aux enfants. Ah ! ils peuvent aussi s'initier à la voile.
– C'est très bien, ça. Et le soir ? Qu'est-ce qu'on peut faire à… comment tu dis ? Porticho ? Porchito ?
– Porticcio ! Alors, le soir, il y a les discothèques… deux cinémas… Classique, quoi. Ah ! pendant la première quinzaine de juillet, il y a un festival de jazz dans un petit village à neuf kilomètres de Porticcio. Ça a l'air intéressant.
– Ça, ça devrait plaire à Patrick.
– Oui. Il y a aussi une soirée de chants polyphoniques corses, les 8 et 9 juillet. Et le week-end du 11 juillet, il y a les Journées de la gastronomie corse… Alors qu'est-ce qu'on fait ?
– De toutes façons, il faut qu'on se décide assez vite : le mois de juillet sera vite là et il y a toujours beaucoup de monde en Corse.
– Je te propose d'envoyer un courrier pour faire une réservation auprès d'une des agences de tourisme indiquées dans le dépliant du syndicat d'initiative. Il y a un formulaire de réservation pour l'hôtel et les différentes activités. Qu'est-ce que tu en penses ?
– Je crois que c'est ce qu'il y a de mieux à faire.

Page 13
7) Oral / écrit

– Tiens, j'ai écrit une carte pour Bernard et Claudine. Tu veux la signer ?
– Oui. Qu'est-ce que tu leur dis ?
– Oh ! c'est un peu banal, comme sur une carte postale : que l'Italie est vraiment un pays magnifique ; que la région des lacs nous a beaucoup plu ; que nous avons pris au moins deux kilos mais que les spécialités italiennes sont excellentes ; que nous avons un temps magnifique ; que nous n'avons pas envie de rentrer à Lyon mais qu'il faudra bien…
– Tu leur rappelles qu'on se voit chez Manon le premier week-end de septembre ?

– Ah ! oui, c'est vrai… D'accord, je leur mets un mot pour leur rappeler.
– Et tu me passeras la carte pour que je la signe…

Page 14
9) Consignes

Enregistrement n° 1 :
Pour retirer de l'argent, c'est facile : tu trouves un distributeur, tu mets ta carte dans la machine, tu fais ton code, tu retires ta carte et tu as les billets.

Enregistrement n° 2 :
Tu ne sais pas te servir de la machine ? Ce n'est pas possible ! Regarde, tu mets les pièces là, tu choisis ta boisson, tu attends, tu retires le gobelet et tu as ta monnaie.

Enregistrement n° 3 :
Pour prendre de l'essence, tu introduis ta carte, tu fais ton code, tu choisis le type de carburant, tu retires ta carte, tu mets l'essence dans ton réservoir, tu attends et tu as le ticket avec la somme que tu vas payer.

Page 15
10) Nominalisation

1. C'était vraiment un beau spectacle, j'ai passé une super soirée… et c'était inattendu comme résultat !
2. Ce n'est pas vraiment un succès, cet auteur nous avait habitués à beaucoup mieux.
3. Moi, je savais bien qu'ils seraient incapables de tenir les délais, c'est toujours comme ça.
4. Je te l'avais dit, le gouvernement n'a pas tenu ses promesses.
5. On n'a pas pu rentrer de week-end lundi, il n'y avait pas de bateaux. La prochaine fois, on ira ailleurs !
6. C'est dramatique, mais c'est malheureusement courant dans le milieu de la pêche.
7. Ce n'est pas vraiment un événement et en plus c'est la deuxième fois en six mois.

Page 15
11) Liaisons

L'Italie, c'est une bonne idée pour un week-end. Si vous avez trois jours libres, vous pouvez choisir cet itinéraire. Vous arrivez à Rome le vendredi soir, vous y passez la journée du samedi et vous y restez jusqu'au dimanche midi. Vous allez ensuite à Florence où vous avez une visite de la ville et de la galerie des Offices l'après-midi. Le lundi, vous avez deux possibilités : une excursion en Toscane est organisée, elle vous permettra de découvrir des paysages magnifiques et les spécialités locales, mais vous pouvez aussi passer la journée à flâner dans la ville. Votre avion pour Paris est à 20 heures.

Séquence 3

Page 17
4) Chiffres et nombres

1. 1,53 euro, c'est cher pour une salade.
2. Je te donne mon numéro de téléphone : 06 67 54 98 75.
3. Pour aller à Stockholm, il y a 2 453 km.
4. Vous avez gagné 3 480 euros.
5. Voilà votre code : A 217 60 99.
6. Le premier tirage du loto de ce mercredi : 23 8 9 33 41 49. Numéro complémentaire : le 32.
7. Votre billet, ça fait 155,40 euros.
8. Ne quittez pas, je vous donne le numéro du siège central : 01 54 44 78 98.

Page 17
5) Liaisons

1. Ce matin, Jeanne est allée à l'école.
2. Vous avez du feu ?
3. Vous êtes italienne ?
4. Ne vous énervez pas, le train est à l'heure.
5. Ce jeu, c'est assez difficile.
6. Elle est à toi, cette chanson…
7. Vous aimez le cinéma ?
8. Jacques est absent ?

Page 19

9) Chronologie

– Allô, Jeanne ?

– Oui, bonjour, Marie, ça va ?

– Oui, très bien, je t'appelle parce que je pensais aller faire un footing dans la matinée, tu veux venir avec moi ?

– Oh non ! j'ai eu une semaine épuisante : lundi, je suis allée à Genève pour une réunion, j'ai défendu un projet, c'était difficile. Mardi, je suis sortie du bureau à 9 heures. Mercredi, Lydie était malade, j'ai dû trouver quelqu'un pour la garder, j'ai couru toute la journée, j'avais une réunion à 2 heures, une autre à 5 heures et un dîner le soir. Jeudi, j'ai pris l'avion pour Florence, le soir je suis partie à Rome, c'était bien, et retour hier soir. Alors tu vois, ce week-end, farniente… mais passe à la maison après ton jogging.

– D'accord, je viens vers midi.

– À tout à l'heure.

Page 21

1) Itinéraire

– Dis, tu sais aller chez Anne-Marie, toi ?

– Oui, c'est un peu loin mais c'est facile à trouver. Tu pars d'où ?

– Du centre-ville, de la place Marbeuf.

– Bon, alors tu prends le bus à l'arrêt Marbeuf. C'est le bus n° 2.

– Oui.

– Tu restes dans le bus jusqu'au terminus… Non, attends, c'est plus simple si tu descends à l'avant-dernier arrêt : c'est l'arrêt Montferrand.

– Arrêt Montferrand…

– Quand tu descends du bus, tu verras une station-service juste en face, de l'autre côté du boulevard. Tu traverses le boulevard comme pour aller à la station-service…

– Oui.

– Tu prends la rue qui est à droite de la station… Ça doit être la rue Michelet, je crois, mais je n'en suis pas sûr.

– Oui.

– Tu prends cette rue… Tu verras, elle descend un peu… Donc tu descends la rue. Il y a un premier feu, puis un deuxième feu. Au deuxième feu, tu prends à gauche. C'est la rue d'Anne-Marie, la rue Bontemps. Elle habite au numéro 15 bis. Tu verras, il y a son nom sur la porte d'entrée.

– Il faut combien de temps à peu près pour y aller ?

– Oh ! environ une demi-heure.

Page 21

2) Itinéraire

– Dis, Jacques, toi qui sais tout… tu ne sais pas où je pourrais faire réparer mon vélo ?

– Ben… tu peux aller chez Bonvalot. Moi, c'est là que je vais… Ils travaillent bien…

– C'est où ?

– Dans la rue des Italiens. Tu vois où c'est ?

– À peu près…

– Attends, c'est facile à trouver. C'est près de la gare…

– Alors, quand je suis à la gare, je vais où ?

– Tu longes les entrepôts qui sont à droite de la gare en direction de Fougereuil. Tu vois ?

– D'accord.

– Tu fais environ 500 mètres et tu tombes sur un terrain vague. Tu passes devant et tu arrives près d'un chantier. Tu verras, c'est une usine en construction. Là, il y a un carrefour. Tu prends la rue qui est à droite. Je ne sais pas comment elle s'appelle, mais tu ne peux pas te tromper.

– D'accord, la rue à droite. Et après ?

– Après, tu continues tout droit dans cette rue et tu tombes sur la rue des Italiens qui la coupe. Là, tu prends la rue des Italiens sur la droite, tu fais environ 100 mètres et tu arrives chez Bonvalot. Tu verras, il y a une grande enseigne orange.

– Merci, Jacques.

Page 21

3) Biographie

– Tu connais les frères Dardenne ?

– Oui, ce sont des réalisateurs belges : Jean-Pierre est né en 1951, Luc en 1954. Ils ont fait pendant plusieurs années des courts métrages et des documentaires. En 1992, ils ont réalisé *Je pense à vous*, puis en 1996 *La Promesse*, présenté à la Quinzaine des réalisateurs à Cannes. Avec *Rosetta* en 1999, ils ont obtenu la Palme d'or à Cannes et en 2002, ils ont présenté *Le Fils*.

Page 22

4) Biographie

– Qu'est-ce que tu lis, en ce moment ?

– Un bouquin sur les pionniers de l'aviation.

– Ah ! c'était une époque formidable…

– Oui, tiens, il y a quelqu'un qui a eu une vie passionnante : c'est Santos-Dumont.

– C'est lui qui a établi le premier record du monde de vitesse en avion à moteur, je crois ?

– Oui, en 1906, avec un vol de 220 mètres en 21 secondes, soit 38 km à l'heure… Mais bien avant, c'était déjà un pionnier du vol en dirigeable. Il était très populaire auprès des Parisiens qui étaient habitués à le voir survoler la capitale, coiffé de sa casquette. Il est devenu célèbre en 1901 en volant, en dirigeable, de Saint-Cloud à la tour Eiffel aller-retour. Ensuite, en 1909, il a construit un avion qui pesait 117 kilos, pilote compris. Il l'a appelé La Demoiselle.

– Ah ! là, là ! quelle époque !

– Eh oui ! c'était la Belle Époque !

Page 25

8) Formuler une proposition par écrit

– Monsieur le directeur, est-ce que vous avez vu la lettre du jeune Jacob ?

– Oui, écoutez, répondez-lui que nous n'avons pas de place pour le mois de juillet mais que c'est bon pour les mois d'août et de septembre.

– Vous avez vu son oncle ?

– Oui, hier matin. Il m'a dit le plus grand bien de son neveu. Ah ! demandez à ce jeune homme s'il a le permis de conduire. Dites-lui qu'il prenne contact avec vous et

qu'il vous le fasse savoir. Pensez à lui donner le numéro de téléphone du secrétariat.
– D'accord. Je m'en occupe immédiatement.

Page 26

9) Formuler un refus par écrit

– Tu as vu cette candidature ?
– Laquelle ?
– Celle de Jean-Nicolas Robert.
– Oui.
– Qu'est-ce que tu en penses ?
– Ce garçon me semble manquer un peu d'expérience pour animer le séminaire de techniques d'expression.
– Oui, mais il a fait des choses intéressantes tout de même… Qu'est-ce que je lui réponds ?
– Que sa candidature a retenu notre attention, que nous n'envisageons pas de lui confier ce séminaire mais que nous le contacterons si nous avons autre chose à lui proposer.
– D'accord.

Parcours 2

Séquence 5

Page 28

1) Indicateurs de temps

1. Je vais poster tes lettres, donne-moi 1,60 €.
2. – Allô ! Coiftif ? Je voudrais prendre rendez-vous pour la semaine prochaine, mardi si possible.
   – Désolée, ce n'est pas possible : nous serons en vacances.
3. Je ne serai pas là dimanche, mais c'est important ces élections. Est-ce que tu pourrais y aller à ma place ?
4. Et maintenant, les prévisions météorologiques pour demain : temps pluvieux à l'Ouest, ces pluies se transformeront en orages jusqu'à après-demain. Il ne faut pas attendre d'amélioration avant la fin de la semaine.
5. Bonjour, je vous appelle car mon médecin est en vacances et mon fils a une forte fièvre.
6. Si tu vas à Montélimar, il vaut mieux que tu évites l'autoroute en ce moment.

Page 30

6) Avant…

Personne 1 : avant, j'aimais bien cette ville pour sa tranquillité et pour la convivialité entre les gens. L'air était pur et il n'y avait pas autant de voitures et d'embouteillages. Et puis, j'aimais bien faire mes courses dans le quartier où j'habite ; je bavardais avec les petits commerçants.
Personne 2 : avant, on aimait se balader dans la ville à bicyclette, sortir en fin de semaine dans les cafés, aller au restaurant, profiter des activités culturelles.
Personne 3 : avant, cette ville était animée, il n'y avait pas autant de voitures au centre-ville. On prenait le temps de vivre, de parler aux gens.

Page 31

7) Durée

1. Attends-moi là, j'en ai pour une minute.
2. La réunion s'est éternisée, j'ai cru qu'elle ne finirait jamais.
3. Essayez d'être bref !
4. Ça y est, j'ai changé la roue en deux minutes.
5. Je ne pouvais pas sortir du travail, mon patron n'arrêtait pas de parler.
6. Je suis à vous dans une seconde.
7. Il faudra du temps pour reconstruire ce village détruit par la tempête.
8. Dépêche-toi, le train part dans une minute.
9. J'ai passé cinq longues années à attendre son retour.
10. Je l'ai à peine vu, il était pressé.

Page 31

8) Fréquence

1. Yves n'a aucune idée de ce qui passe à la télévision.
2. Martine est encore à Paris, comme toutes les semaines.
3. Elle fait du sport une heure par jour.
4. Jacques va voir un film « tous les 36 du mois ».
5. Je les ai rencontrés quatre fois cette semaine à l'auberge des Lilas.
6. Je ne les ai jamais vus dans les meetings des deux candidats.

7. Il y a dix ans qu'il est végétarien.
8. Jeanne se rend régulièrement dans un club d'aquagym.
9. J'achète de temps à autre un best-seller.
10. Alain passe des heures devant sa télévision.

Séquence 6

Page 39

12) Expression écrite

– Tu as vu dans le journal, il y a eu un accident cette nuit près de chez nous ?
– Ah bon ? où ça ?
– Rue du Vieux Moulin.
– Qu'est-ce qui s'est passé ?
– Ben, c'est une voiture qui a quitté la voie de droite. Elle est allée heurter une Renault 5 qui arrivait en face. Ils disent que le conducteur a perdu le contrôle de son véhicule et qu'il s'est peut-être endormi au volant. C'était tard, vers 4 h du matin.
– Et c'est grave ?
– Il y a un blessé léger, le conducteur de la Renault. C'est un jeune de 23 ans qui est étudiant à la fac de lettres. Il a été blessé à l'épaule. Les pompiers l'ont emmené à l'hôpital.
– Et le conducteur de l'autre voiture ?
– Il n'a rien, apparemment, mais il a été conduit à l'hôpital lui aussi pour une surveillance médicale parce que le choc a été assez violent, d'après les gendarmes.

Séquence 7

Page 40

1) Consignes

Enregistrement n° 1 :
Moi, j'aime bien manger. Je suis un gastronome et un bon vivant. Donnez-moi du foie gras, de la charcuterie, des viandes en sauce et je suis content. Il ne faut pas me parler des plats allégés : ça n'a pas de goût. Moi, je suis pour la bonne vieille cuisine traditionnelle et je ne bois que des bons vins. Je suis une illustration vivante du « paradoxe français ».

Vous ne savez pas ce que c'est que le paradoxe français ? Des médecins américains ont prouvé que les habitants du sud-ouest de la France, qui mangent une cuisine solide, faite de bonnes choses comme le confit d'oie et le cassoulet, et qui consomment régulièrement des vins rouges de Bordeaux, sont aussi les Français qui souffrent le moins de maladies cardio-vasculaires. C'est ça le « paradoxe français », le *french paradox*, qu'ils disent…

Enregistrement n° 2 :
Je surveille ma ligne. Alors, je mange peu de viande ; je fais attention et je choisis des viandes maigres. Je mange aussi beaucoup de légumes que je cuisine à la vapeur. Pour donner du goût, j'utilise le jus de citron et les épices. Je sale très peu les aliments. Je ne bois que de l'eau minérale ; l'eau est la seule boisson non calorique. Cela paraît un peu triste, mais c'est une question d'habitude. Et puis, la forme et la santé sont à ce prix !

Enregistrement n° 3 :
Pour moi, la nourriture végétarienne est un choix philosophique. On pense souvent que le végétarisme est frustrant et qu'on se prive de beaucoup de choses. Ce n'est pas vrai. Il existe une multitude d'aliments en dehors des produits animaux. Et puis, le végétarisme ne signifie pas forcément une cuisine triste : au contraire, c'est un stimulant pour réaliser une gastronomie inventive, épicée et saine.

Séquence 8

Page 50
3) Compréhension orale / expression écrite

– Chérie, tu as vu le programme de la fête de la Musique ?
– Non. On a le temps, c'est dans quinze jours…
– Oui, mais il ne faudra pas manquer ça. Il y aura plein de choses intéressantes.
– Le problème, c'est qu'on ne peut pas aller partout… Qu'est-ce que tu as retenu ?

– Ça commencera dès l'après-midi, à 14 h. Le centre-ville sera réservé aux piétons et les itinéraires des bus seront modifiés l'après-midi et en soirée. À 14 h, donc, il y a un concert de musique militaire, par la fanfare de la Légion étrangère.
– Tu sais, moi, la musique militaire…
– Plus tard, dans la rue Battant, il y aura plein de groupes différents qui se succéderont : à 15 h, il y a le groupe Nolybo, c'est de la musique traditionnelle sénégalaise, puis le groupe Médéa, c'est de la musique sud-américaine, à partir de 16 h 30, toujours dans la rue Battant. Ah ! il y aura aussi un groupe de blues et jazz à l'harmonica ; ça, j'aimerais bien l'écouter. C'est à 17 h 15, place Victor Hugo.
– Et en soirée, qu'est-ce qu'il y a ?
– À 18 h, rue de la Madeleine, de la chanson française : Piaf, Brassens, Barbara, Brel, etc. À 20 h, à la cathédrale Saint-Jean, il y a une chorale portugaise.
Et puis un peu partout, des groupes de rock, de salsa, de reggae, du jazz et du classique.
– Ça va être difficile de choisir…

Page 51
5) Compréhension orale / expression écrite

– Tu as vu, dans *L'Est Républicain*, il y a une pub pour la dernière croisière du *France*. Je me suis dit que nous pourrions fêter notre cinquième anniversaire de mariage… La dernière croisière tombe pile au mois d'octobre 2002…
– Tu es complètement fou… mais c'est une idée géniale !
– Tiens, tu regarderas le prospectus… Il y a plusieurs formules : une première croisière qui s'appelle la *Croisière des adieux à la France*, du 21 au 30 septembre. Départ à destination de Bordeaux en naviguant le long des côtes de France ; puis, cap sur le Portugal et l'Espagne avec une escale à Lisbonne. Ensuite, on passe le détroit de Gibraltar et on fait escale à Barcelone. Puis, on rejoint Marseille. Le prix est de 1 510 € par personne.
– C'est peut-être un peu cher pour nous, non ?

– Au diable l'avarice ! Mais attends, il y a une autre formule, moins chère, à 1 050 €. C'est la *Croisière des adieux méditerranéens*. C'est un peu plus tard, du 7 au 13 octobre. Embarquement à Marseille, et en route pour Malte et l'Italie. On fait escale à La Spezia. Je ne sais pas où c'est, La Spezia… On visite Florence, Pise et Carrare. Tu sais, à Carrare, il y a un marbre réputé… Ensuite, la Corse avec une escale à Ajaccio et enfin on revient à Marseille.
– C'est vraiment tentant…
– Il y a aussi la formule « du pauvre », pour gens pressés, sur deux jours, à 303 €. Il y a en fait des formules pour toutes les bourses. Là, il n'y a pas d'escale. On reste à bord pour profiter des merveilles du paquebot… Deux dates : du 19 au 21 septembre et du 13 au 15 octobre. Ah ! c'est au départ du Havre. Le nom de la formule, c'est *Deux jours de fête à bord de l'ancien France*.
– Ça ne me plaît pas : c'est trop court…
– Attends, il y a un autre truc… *L'Odyssée gourmande*. Oh ! c'est bien, ça… C'est une croisière gastronomique. Tu sais, on mange royalement à bord du *France*. C'est comme si tu passais une semaine dans le meilleur restaurant de France… Alors, attends… les dates : du 15 au 21 octobre 2002. Départ de Marseille, escale à La Valette – c'est à Malte – puis l'Italie avec une visite de Florence, Pise, Carrare, comme dans la deuxième formule, enfin Ajaccio et retour à Marseille. Celle-là, elle est à 1 357 €… et au moins quatre kilos en plus à l'arrivée !
– Tant pis pour mon régime : je craque…

Page 52
6) Compréhension orale / expression écrite

– Tiens, j'ai vu Philippe Vidal ce matin. Il nous invite à une fête.
– Ah bon ! où ça ?
– À Sornay. C'est une fête mexicaine. Tu sais, il est très branché Amérique du Sud, Philippe. Donc, le samedi 21 juin, il y aura d'abord une

conférence. C'est un prêtre qui la fait.

– Sur quoi ?

– Tu savais qu'il y a eu, au XIXᵉ siècle, une émigration vers le Mexique de gens qui habitaient la ville de Champlitte, en Haute-Saône ?

– Non, c'est curieux ça.

– Oui, au XIXᵉ siècle, il y a des Haut-Saônois qui sont partis pour le Mexique et qui se sont installés à Veracruz. C'est historique. Et donc la conférence de l'abbé machin… comment… l'abbé Jean-Christophe Démazières porte là-dessus. C'est intéressant, non ?

– Oui. C'est à quelle heure ?

– À 20 h 30, à la salle des fêtes. Il y aura aussi une exposition de photos et une dégustation de produits mexicains.

– Ah ! c'est sympa, ça.

– Et ça continue le lendemain ! À 15 h, en plein air, devant la mairie, il y a de la musique mexicaine et d'Amérique du Sud. Tout est prévu : s'il pleut, on peut se replier sur la salle des fêtes. C'est un prolongement de la fête de la Musique. Il y aura un groupe de jeunes musiciens français, un groupe brésilien, et de jeunes Mexicains et Mexicaines qui sont étudiants au Centre de Linguistique Appliquée de Besançon. Et après le concert, le programme c'est « pot de l'amitié », vers 17 h. D'ailleurs, Philippe m'a dit qu'il en profitera pour fêter la naissance de son petit-fils…

– Ah bon ! Philippe est grand-père ?

– Eh oui !

Page 53

7) Compréhension orale / expression écrite

– Allô ? Bonjour, je vous ai appelée la semaine dernière. Je suis monsieur Pascalet. Vous deviez me faire une proposition pour un séjour en Turquie…

– Oui, effectivement, monsieur Pascalet, je me souviens très bien. Je suis Nadine Pelletier. C'est moi qui ai traité votre dossier. Attendez… je le sors. Voilà, alors, je vous propose un vol Paris-Istanbul. Vous arrivez le 3 août au soir. Vous resterez deux jours à Istanbul avec un programme culturel intéressant :

visite des mosquées, la mosquée bleue, Sainte-Sophie, visite du palais de Topkapi. Le deuxième jour est une journée libre. Je vous recommande de faire le grand bazar d'Istanbul. Le 5 au soir, vous prendrez un vol pour Ankara à 21 h 17. Transfert à l'hôtel Etap en bus. Le lendemain, après la visite du musée des Antiquités anatoliennes à Ankara et le repas de midi dans un restaurant de la citadelle, vous quitterez Ankara pour la Cappadoce, en bus touristique. Vous arriverez à Ürgüp en fin d'après-midi. Le lendemain, visite des ateliers de potiers à Avanos et excursion en bus pour profiter des curiosités géologiques de la région, vous savez, les fameuses *cheminées de fées*, vous verrez : c'est magnifique. La journée du lendemain sera une journée libre et vous repartirez pour Ankara en fin de journée. Enfin, retour en France sur un vol Ankara-Paris de Turkish Airlines, le 9 au matin avec arrivée à Paris à 14 h 32. Écoutez, je vous mets tout cela par écrit et je vous l'envoie tout de suite par mél.

Parcours 3

Page 60

5) Résultat

1. – Tu as vu, le Premier ministre est parti !
   – Après les élections, c'était normal.

2. Il y a eu un orage, toutes les routes de montagne ont été coupées.

3. Hier il faisait beau, je suis allée me baigner.

4. Il y a eu une tempête, les bateaux n'ont pas pu sortir aujourd'hui.

5. Marc était en colère, il est parti.

6. Elle l'a beaucoup aidé, il a réussi à trouver du travail.

7. Il y a eu une grève, c'est pour ça que tu n'as pas reçu ma lettre.

8. Vous avez fait des erreurs, vous devez corriger ce document.

Page 61

7) Explication

1. Pourquoi est-ce que Paul n'est pas là ?

2. Pourquoi est-ce que le chômage a augmenté ?

3. Pourquoi est-ce que cette maison a été détruite ?

4. Il y a eu un accident ? Qu'est-ce qui s'est passé ?

5. Comment tu as trouvé du travail ?

6. Pourquoi est-ce qu'Annie s'est arrêtée de travailler ?

7. Pourquoi tu as déménagé ?

8. Pourquoi est-ce que tu ne pars pas en vacances ?

Séquence 10

Page 64

2) Valeurs de *si* + phrase

1. Si tu as le temps ce week-end, on ira voir le dernier film d'Almodovar.

2. Si vous ne me rendez pas votre devoir demain, vous aurez 0.

3. Si tu m'aides à finir cet exercice, je t'offre l'apéritif.

4. Je vais passer dans une librairie, si tu veux, je t'achète le livre que tu voulais lire.

5. Si tu ranges ta chambre, on va à la piscine à midi.

6. Si tu n'arrêtes pas de crier, je m'en vais !

7. Si tu as dix minutes, tu pourrais me donner un conseil sur ce dossier ?

8. Si vous ne trouvez pas ce texte, retapez-le !

9. Si tu n'aimes pas ce plat de courgettes, fais-toi cuire un œuf !

10. Si tu sors tôt du travail, tu pourrais m'emmener à la gare ?

Page 64

3) Trucs et astuces

1. – Il reste des champignons, si je les mets au frigo, ils deviendront noirs.
   – Non, pas si tu les couvres avec une feuille d'aluminium.

2. – Je vais peindre le tour des fenêtres.
   – Pour ne pas mettre de peinture sur les vitres, passe du savon dessus avant de peindre.

3. – Je n'arrive pas à enlever cette vis, elle est rouillée.
– Chauffe le tournevis « au rouge » et appuie-le deux minutes sur la vis.

4. – Quand je lave les fraises, elles ont toujours le goût de l'eau.
– Eh oui ! il faut les laver sans enlever les queues.

5. – Qu'est ce que tu fais cuire ? Ça sent mauvais.
– Du chou-fleur.
– Tu sais, pour éviter cette odeur, il faut le faire cuire avec un morceau de pain.

Page 67

9) Sens du verbe *prendre*

1. Prends tout ton temps.
2. Il a pris du poids.
3. Qu'est-ce que tu prends ?
4. Si tu vas au soleil, prends des précautions.
5. Je l'ai pris en grippe.
6. Ça me prend la tête.
7. On va prendre racine ?
8. Prends tes cliques et tes claques ! Je ne veux plus te voir !
9. J'ai pris goût au farniente.
10. Il est allé prendre l'air.

Séquence 12

Page 75

1) Hypothèses

1. Si j'avais de l'argent, je partirais en croisière.
2. Si j'avais su que Marie dormait, je ne l'aurais pas dérangée.
3. Si tu vas à Bilbao, va voir le musée Guggenheim.
4. Si vous étiez arrivés hier, vous auriez vu le feu d'artifice.
5. Si tu vas à la bibliothèque, rapporte-moi le livre de Max Gallo.
6. Si j'avais un peu de temps, je pourrais t'aider à rédiger ton mémoire.
7. Si tu vois Philippe, tu peux l'inviter pour notre soirée de samedi.
8. Si vous aviez envoyé vos papiers à temps, vous auriez reçu votre carte d'abonnement.
9. S'il y avait moins de monde, nous serions allés à la plage.
10. Si j'avais pris le train, je serais arrivée plus vite.

Page 76

3) Sens du conditionnel passé

1. Si j'avais été plus méfiant, je ne lui aurais pas parlé de ce projet.
2. Si tu m'avais parlé plus tôt, les choses auraient été plus simples.
3. Si j'avais été plus attentive à ses problèmes, Alex n'en serait pas là.
4. Si tu n'avais pas été là, je n'aurais pas pu faire face à ce jury.
5. Si vous m'aviez écoutée, vous ne seriez pas dans cette situation !
6. S'il avait fait beau, nous aurions profité plus de ce lieu exceptionnel.
7. Si je ne t'avais pas retardée, tu n'aurais pas raté ton train.
8. Si tu avais davantage travaillé en équipe, tu nous aurais évité beaucoup de problèmes.
9. Si tu n'avais pas été là, je n'y serais jamais arrivé.

Page 77

5) Ce qu'il ne fallait pas faire

1. Hier, j'ai fait une gaffe quand on est allé dîner chez Jacques. Si j'avais su quel était le métier de sa copine, j'aurais été moins ridicule !
2. Dupond est très fâché car hier, quand je l'ai rencontré dans une réunion, je lui ai demandé des nouvelles de Martine. Si j'avais su qu'ils venaient de se séparer, j'aurais eu plus de tact.
3. Si je n'avais pas jeté ce bout de papier, je serais millionnaire.
4. Si j'avais su que Paul avait eu un accident, je ne lui aurais pas fait cette proposition stupide. Il a cru que je me moquais de lui.
5. Si j'avais su que Marc sortait avec Amélie, je ne lui aurais pas dit qu'elle n'était pas très intelligente.
6. Hier, j'ai invité Anne au restaurant : un vrai fiasco ! Si j'avais su qu'elle détestait les moules-frites, je ne l'aurais pas emmenée à La Chope.
7. Si j'avais su que c'était l'anniversaire de Marine, je le lui aurais souhaité.
8. Si j'avais pris mon téléphone portable, j'aurais pu prévenir que j'arriverais en retard à cet entretien d'embauche. Il y avait des embouteillages, résultat : une heure de retard !

Page 77

6) Remerciements

1. Merci de m'avoir prévenu, je ne savais pas que ce poste était libre et que j'avais seulement deux jours pour poser ma candidature.
2. C'est vraiment très gentil de ta part de m'avoir recommandé ce livre ; j'ai préparé mon concours avec, ça m'a été très utile et j'ai réussi !
3. Heureusement que tu m'as emmené à la gare, sinon, j'aurais raté le train et donc j'aurais aussi raté mon avion pour Singapour.
4. C'est très sympa de ta part d'avoir appelé ton amie médecin pour qu'elle me fasse une ordonnance. Sinon, j'aurais eu de graves problèmes car je ne peux pas passer plus de 24 heures sans prendre ce médicament.
5. Merci de m'avoir donné les coordonnées de cette jeune fille pour garder les enfants. Sans elle, je n'aurais pas pu aller à ce dîner tellement important pour moi.

Parcours 4

Séquence 13

Page 82

1) Sentiments

1. Votre présentation était remarquable !
2. Je vais t'annoncer une nouvelle incroyable, on a gagné au Loto ! c'est génial !
3. Je n'ai pas de nouvelles d'Alain depuis un mois, il n'allait pas très bien…
4. Ah ! il fait beau ! Chic, on va pouvoir aller à la plage.
5. C'est pas très gai, tout ça !
6. Avec vous, je sais que je suis tranquille, je peux y aller les yeux fermés.
7. Tu n'avais pas le droit de traiter ma sœur comme ça !
8. Magnifique, ce livre !
9. Ce n'est pas possible, il a fait 25 % aux élections !
10. Super, les Bleus ont gagné !

Page 84

5 Compréhension orale / expression écrite

– Tu as vu le film de Beverini, *Total Khéops* ?
– Oui, c'est une adaptation d'un roman de Jean-Claude Izzo, non ?
– Oui, c'est ça, on ne s'ennuie pas, je n'ai pas vu le temps passer.
– Moi, je trouve que l'histoire est vraiment géniale, et j'adore le personnage de Fabio Montale.
– Moi aussi, c'est vraiment remarquable.
– J'ai trouvé que Richard Bohringer et Marie Trintignant étaient super, pleins d'invention avec un jeu tout en finesse et en nuances.
– On devrait dire à Yves d'aller le voir.

Page 87

11 Qualités / défauts

1. Elle a le cœur sur la main, elle te donnerait sa chemise.
2. J'ai une nouvelle assistante, elle comprend tout au quart de tour.
3. Philippe, tu peux vraiment compter sur lui.
4. Jean-Charles ? Il a tout fait, tout vu, il sait tout.
5. Jean-Christophe n'a pas inventé l'eau chaude !
6. Ne confie surtout pas tes papiers à Pascal, il perd tout.
7. Même dans les situations les plus dramatiques, Christine a toujours le mot pour rire.
8. Quand je discute avec Thierry, j'ai l'impression de parler tout seul.
9. Jacques, on dirait qu'il a une horloge dans la tête.
10. Marc a un cœur de pierre.
11. Jeanne est toujours décalée, elle plane complètement.
12. Lui, il marcherait sur tout le monde pour arriver.

Page 90

4 Argumenter : vacances en France ou vacances à l'étranger ?

– Tu vas où, en vacances ?
– Je vais aller en Espagne, à Peniscola. C'est une petite ville au bord de la mer. Et toi ?
– Moi je reste en France. Je vais aller voir des copains en Ardèche ; puis je vais passer une semaine chez mes beaux-parents, près d'Annecy.
– Pour moi, les vacances, c'est partir à l'étranger. J'aime le dépaysement, j'aime le sentiment d'être ailleurs, l'impression d'être un peu perdue. L'exotisme, quoi !
– Ah non ! Moi, je ne supporte pas de ne pas comprendre ce qu'on dit autour de moi. En France, au moins, je n'ai pas de problème pour commander quelque chose au restaurant ou pour louer une voiture : tout le monde parle français…
– Mais justement, les vacances, c'est pour moi l'occasion de pratiquer mon espagnol. Je ne parle pas couramment, mais je me débrouille un petit peu.
– Et puis en France, on a un patrimoine historique exceptionnel : des châteaux, des musées, toutes sortes d'architectures, de richesses culturelles…
– Et tu crois que les autres pays sont restés à l'âge de la pierre ? Grenade, Séville… tu en as entendu parler ? Et le musée du Prado, ça ne te dit rien ?
– Oui, d'accord, mais moi je préfère quand même rester en France. Les vacances, c'est la seule période de l'année où je peux voir ma famille et mes amis. Alors, j'en profite.
– Mais moi, j'ai de très bons copains étrangers, en Espagne notamment, des gens que je revois régulièrement et toujours avec plaisir.
– Et puis, tu sais, rester en France, ça revient moins cher : moi, je loge chez mes amis ou mes beaux-parents. Ça diminue les frais.
– Moi, je trouve que les vacances, c'est justement fait pour dépenser son argent.

Page 92

6 Argumenter / organisation logique du discours

– Tiens, tu as vu, il y a un article sur la sieste, dans *Sciences et Futur*.
– La sieste ? Ce n'est pas un sujet très scientifique, ça.
– Détrompe-toi. Des études ont démontré que, jusqu'à 4 ans, les enfants ont tout à gagner à faire la sieste.
– Pourquoi ?
– Un petit enfant accumule de la fatigue pendant toute la matinée. Une sieste en début d'après-midi lui permet de « recharger ses batteries ». Et, surtout, il arrive moins nerveux en fin de journée. C'est prouvé : les enfants qui ne font pas la sieste dorment moins bien parce que, le soir, ils sont trop fatigués nerveusement.
– Alors, la sieste, c'est bon pour la santé ?
– Oui, et c'est bon pour l'intelligence aussi. Une étude menée dans la région Rhône-Alpes montre que les enfants qui font la sieste tous les jours sont plus attentifs que les autres.
– Ben dis donc… C'est une vraie prime à la paresse !
– Attends, ce n'est pas tout : la sieste fait grandir les enfants. La position allongée décontracte les muscles de la colonne vertébrale. Et puis, pendant le sommeil, l'organisme produit de l'hormone de croissance.
– Oh ! là, là ! Tiens, j'ai sommeil, moi. Je me ferais bien une petite sieste.

Page 92

7 Argumenter / compréhension orale

– Je peux vous poser quelques questions ? Je fais une enquête sur l'alimentation bio.
– Oui, bien sûr.
– Ça fait longtemps que vous mangez bio ?
– Plusieurs années. En fait, c'est la crise de la « vache folle » qui m'a décidée. Ça m'a fait peur, surtout pour mes enfants. Il y a aussi toutes ces histoires d'antibiotiques, d'hormones de croissance, d'organismes génétiquement modifiés. Oui, ça fait peur.
– Mais, manger bio, ça coûte plus cher…
– Oui, c'est vrai. Les produits bio coûtent en moyenne 30 % de plus que ceux de l'agriculture traditionnelle. Mais c'est vraiment meilleur au goût. La qualité, ça se paie.

– On pense souvent que bio et végé-tarien, c'est la même chose…

– Pas du tout : la viande et la charcu-terie bio, ça existe. Les premiers consommateurs bio étaient souvent végétariens. Mais les consom-mateurs d'aujourd'hui apprécient les aliments bio d'origine animale.

– Vous ne pensez pas que la consommation bio, c'est juste une mode ?

– Absolument pas. L'agriculture bio se développe et s'organise. Aujourd'hui, vous savez, le secteur bio représente en France un mar-ché d'un milliard d'euros. C'est l'agriculture productiviste mondia-lisée qui n'est plus à la mode !

– Est-ce que ce n'est pas difficile de faire ses courses quand on mange bio ? Vous ne pouvez pas aller chez le petit épicier du coin. Il faut aller dans les magasins spécialisés.

– Non. On trouve du bio partout maintenant. D'abord, il y a aujour-d'hui des magasins spécialisés dans l'alimentation biologique dans toutes les villes, même les petites villes. Et ça fait maintenant long-temps qu'on trouve un rayon bio dans les grandes surfaces. On peut aussi s'approvisionner directement chez les producteurs.

– On dit que ce n'est pas bon…

– Les gens qui disent cela n'ont pas essayé. C'est pour ça que la nourri-ture bio a la réputation d'être triste et monotone. Mais ce n'est pas vrai. Moi, j'y trouve des goûts nouveaux qu'on ne trouve pas dans la cuisine traditionnelle : les croquettes aux algues, le tofu, l'huile de sésame, les yaourts au lait de soja. C'est bon, équilibré, sain. Qu'est-ce que vous voulez de plus ?

Séquence 16

Page 100

1 Exposer

1. J'ai choisi de vous parler aujour-d'hui de la littérature de jeunesse. Je ferai d'abord un rapide histo-rique avant de souligner, dans une deuxième partie, l'intérêt et les incontestables avantages de cette littérature. Enfin, je vous présenterai

quelques livres qui me semblent devoir retenir l'attention.

2. Je conclurai mon rapide exposé sur la démographie de l'Europe en vous invitant à consulter notre site Internet si vous souhaitez des renseignements plus précis. Voici cette adresse Internet : www.europopulation.fr. Je répè-te : www.europopulation.fr.

3. Nous avons vu que le personnage de Dracula occupe une place importante à la fois dans la mythologie moderne et dans la littérature fantastique. Nous allons maintenant voir quelle exploitation le cinéma a su faire de ce personnage troublant.

4. Je m'apprête à retourner la semaine prochaine à Kaboul pour y réaliser un autre repor-tage. Je vous donne rendez-vous très bientôt pour une autre émis-sion consacrée à l'Afghanistan. Bonsoir.

5. Vous savez, mes chers amis, qu'il est question de construire, dès 2005, un nouvel aéroport inter-national dans notre région. Je voudrais, en quelques mots, vous dire mon opposition radicale à ce projet. Je vais développer devant vous tous les inconvénients de cette réalisation pour les habi-tants de notre village et des communes environnantes : bruit, nuisances diverses, pollution, abandon de riches terres agri-coles, etc.

6. C'est pourquoi je vous invite, avant de quitter la salle, à signer la pétition contre ce projet fou : la construction du grand canal, qui constituerait une atteinte grave à l'environnement. Je vous remercie de votre attention.

7. Après avoir brièvement expliqué l'origine des météorites, je vais vous présenter, à partir de diapo-sitives, quelques sites où l'on a trouvé de ces « pierres du ciel » d'une taille intéressante.

8. Pour conclure, je dirai que la bande dessinée n'est pas – et je crois l'avoir montré – une sous-littérature. Certains auteurs, scénaristes, dessinateurs ont su produire des récits solides et passionnants. La bande dessinée est véritablement un mode d'ex-pression de notre temps.

Page 102

**5 Expression écrite :
lettre de motivation**

– Qu'est-ce que tu fais ?

– J'écris au maire de Colmar. Il y a un poste de directeur des Affaires culturelles à la mairie et je dois faire une lettre de motivation pour accompagner mon dossier.

– C'est pas facile à faire, ce truc-là.

– J'ai commencé en parlant de ma situation actuelle. Je lui dis que je travaille comme attaché au Conseil de la région Rhône-Alpes.

– Tu devrais dire que tu as été atta-ché culturel pendant six ans au Maroc.

– Oui, bien sûr, c'est ce que j'ai fait.

– Dis aussi que tu es alsacien et que tu souhaites revenir au pays.

– Oui, tu as raison. Je pense aussi qu'il faut que je parle de mes études à Strasbourg et des bouquins que j'ai écrits.

– Parle aussi de l'association des Alsaciens de Lyon…

– C'est une bonne idée. Je vais dire aussi que je suis intéressé par tout ce qui concerne la vie culturelle.

CORRIGÉS

Pour les activités de production libre, les corrigés sont des propositions.

❧ ❧ **Parcours 1, p. 5** ❧ ❧

Séquence 1 **p. 6**

1) Qu'est-ce qu'il a dit ?, p. 6

a. Enregistrement n° 10.
b. Enregistrement n° 6.
c. Enregistrement n° 3.
d. Enregistrement n° 5.
e. Enregistrement n° 9.

f. Enregistrement n° 1.
g. Enregistrement n° 8.
h. Enregistrement n° 4.
i. Enregistrement n° 7.
j. Enregistrement n° 2.

2) Constructions verbales, p. 6

1. a proposé.
2. a invité.
3. ai promis.
4. a suggéré.

5. a expliqué.
6. ai demandé.
7. avez obligé.
8. a interdit.

3) Concordance des temps, p. 7

1. arriverait.
2. parlais.
3. aurais.
4. partiraient.
5. avait trouvé.

6. avait oublié.
7. fallait.
8. connaissais.
9. arriveraient.
10. pouvais (pourrais *est également possible*).

4) Message oral / message écrit, p. 7

1. Il a souhaité la bienvenue aux représentants de Düsseldorf.
2. Elle a refusé de recevoir M. Bûche.
3. Il nous a suggéré de nous adresser au gardien.
4. Elle a critiqué ma façon de poser le problème.
5. Il nous a obligés à venir à 7 heures.
6. Elle nous a demandé notre avis sur la semaine de 32 heures.

5) Pronoms, p. 7

1. leur. **2.** m' *ou* nous. **3.** l'. **4.** nous. **5.** m' *ou* nous. **6.** l'. **7.** vous. **8.** vous. **9.** t'. **10.** m'.

6) Discours indirect, p. 8

1. Il / elle m'a demandé si je connaissais un hôtel pas cher à Paris.
2. Il / elle m'a dit que Vanessa allait se marier.
3. Il / elle m'a dit de prendre le premier train pour arriver à l'heure à l'aéroport.
4. Il / elle m'a demandé si je connaissais le Chili.
5. Il / elle m'a dit de passer le / la prendre à 7 heures.
6. Il / elle m'a demandé si je pouvais lui apporter un C.V. *ou* Il / elle m'a dit de lui apporter un C.V.
7. Il / elle m'a dit que Jeanne était à l'hôpital et qu'elle s'était cassé la jambe.
8. Il / elle m'a demandé si je parlais espagnol.
9. Il / elle m'a dit d'arrêter mon traitement pendant huit jours.

7) Accepter / refuser, p. 8

1	2	3	4	5	6	7	8
g	c	e	h	a	d	f	b

8) Phonie / graphie : les homophones, p. 9

1. Mets.   **3.** mais.   **5.** Mais.   **7.** mets.   **9.** met.

2. mes.   **4.** mets.   **6.** mes.   **8.** mais.   **10.** Mais / mes.

9) Orthographe : graphie du son [ɛ̃], p. 9

1. demain / matin.

2. peintures / salle de bain.

3. viens.

4. imperméable.

5. bien / pain.

6. marocain / italien.

7. faim / lapin.

8. importante / examen / fin.

9. parrain.

10. éteindre.

Séquence 2 p. 10

1) Impératif / infinitif, p. 10

1. placer.   **3.** Faire.   **5.** Pars.   **7.** Profitez.   **9.** choisir.

2. parlez.   **4.** mourir.   **6.** adressez.   **8.** Appelez.   **10.** oubliez.

2) Discours rapporté / impératif, p. 10

a. Enregistrement n° 2.

b. Enregistrement n° 8.

c. Enregistrement n° 3.

d. Enregistrement n° 6.

e. Enregistrement n° 1.

f. Enregistrement n° 10.

g. Enregistrement n° 7.

h. Enregistrement n° 9.

i. Enregistrement n° 4.

j. Enregistrement n° 5.

3) Impératif, p. 11

1. Cassez les œufs un par un dans un saladier. **Battez-les** avec un fouet.

2. Ajoutez le lait et la ciboulette. **Mélangez** encore.

3. Coupez l'oignon en fines tranches. **Faites fondre** doucement le beurre dans une casserole à fond épais. **Faites dorer** les oignons.

4. Quand les oignons sont transparents, **versez** la préparation du saladier dans la casserole. **Remuez** doucement avec une spatule en bois.

5. Arrêtez la cuisson quand les œufs sont fermes.

4) Impératif, p. 11

1. Coupez le lapin en morceaux.

2. Roulez les morceaux dans la farine.

3. Dans une poêle, **faites** sauter les oignons et les lardons avec le beurre.

4. Faites griller à part les morceaux de lapin et **mélangez-les** avec les oignons et les lardons.

5. Mouillez avec le bouillon et le vin blanc, **ajoutez** le bouquet garni et **laissez** cuire pendant vingt minutes à feu doux.

6. Pendant la cuisson, **mettez** les champignons et les pommes de terre.

5) Oral / écrit, p. 12

- Hôtel : Rive-Sud.
- Coût de l'hébergement et du voyage par personne : 852 euros.
- Activités :
  - adultes : plongée sous-marine, équitation, promenades en bateau ;
  - enfants : Club Juniors : promenades à dos de poney, animations de plage, karaoké, concours de pétanque, initiation à la voile.
- Manifestations culturelles : festival de jazz, soirée de chants polyphoniques corses (8 et 9 juillet), journées de la gastronomie corse (week-end du 11 juillet).

6) Impératif, p. 13

1. Lavez les radis et coupez les fanes. Lavez les tomates.
2. Dans un saladier, versez le jus d'un demi-citron et 4 cuillers à soupe d'huile d'olive.
3. Hachez finement 6 feuilles de menthe et ajoutez-les.
4. Mélangez bien la sauce et ajoutez les radis et les tomates. Remuez soigneusement.
Nom de la salade : salade d'été / salade fraîcheur / salade express, etc.

7) Oral / écrit, p. 13

Chers Bernard et Claudine,
Nous sommes à Florence. L'Italie est vraiment un pays magnifique. Nous avons visité la région des lacs et ça nous a beaucoup plu. Nous avons pris au moins deux kilos chacun, mais les spécialités italiennes sont excellentes. Nous avons un temps magnifique. Nous n'avons pas envie de rentrer à Lyon, mais il faudra bien...
Je vous rappelle qu'on se voit chez Manon le premier week-end de septembre.
Nous vous embrassons.

8) Impératif, p. 13

1. Un riz incollable
Pour que le riz ne colle pas durant sa cuisson, versez dans la casserole un filet d'huile d'olive.

2. Douche écossaise pour salade
Si une salade paraît flétrie, redonnez-lui un peu de fraîcheur en la mettant dans de l'eau chaude et trempez-la ensuite dans un bain d'eau froide.

3. Longue vie aux fruits !
Pour prolonger la vie des pommes et des poires, posez les premières à l'envers et placez les poires la queue en l'air.

4. Comme le lait sur le feu...
Pour que le lait n'accroche plus aux casseroles, rincez-les à l'eau froide avant de verser le lait.

5. Huile et sel
Pour empêcher l'huile de s'abîmer, ajoutez une pincée de sel fin dans la bouteille.

9) Consignes, p. 14

a) Enregistrement n° 1 : 3. 5. 1. 4. 2.
   Enregistrement n° 2 : 5. 1. 3. 2. 4.
b) Enregistrement n° 3 :

1. Introduisez votre carte.	**5.** Mettez de l'essence dans votre réservoir.
2. Composez / Faites votre code.	**6.** Attendez.
3. Choisissez le type de carburant.	**7.** Prenez votre ticket.
4. Retirez votre carte.	

10) Nominalisation, p. 15

a. Enregistrement n° 5.
b. Enregistrement n° 1.
c. Enregistrement n° 4.
d. Enregistrement n° 6.

e. Enregistrement n° 2.
f. Enregistrement n° 7.
g. Enregistrement n° 3.

11) Liaisons, p. 15

L'Italie, c'est une bonne idée pour un week-end. Si vous avez trois jours libres, vous pouvez choisir cet itinéraire. Vous arrivez à Rome le vendredi soir, vous y passez la journée du samedi et vous y restez jusqu'au dimanche matin. Vous allez ensuite à Florence où vous avez une visite de la ville et de la galerie des Offices l'après-midi. Le lundi, vous avez deux possibilités : une excursion en Toscane est organisée, elle vous permettra de découvrir des paysages magnifiques et les spécialités locales, mais vous pouvez aussi passer la journée à flâner dans la ville. Votre avion pour Paris est à 20 heures.

Séquence 3 — p. 16

1) À / au / en, p. 16

1. Berlin. **2.** Colombie. **3.** États-Unis. **4.** Maroc. **5.** Rio. **6.** Madrid.

2) Articles, p. 16

1. le. **2.** un. **3.** les. **4.** un. **5.** la. **6.** le. **7.** la. **8.** des. **9.** la. **10.** le. **11.** le. **12.** des.

3) C'est un / c'est une ; il est / elle est, p. 16

1. c'est un / il est / il est.
2. c'est une *ou* elle est / elle est.
3. c'est un / il est.

4. elle est / elle est.
5. c'est un.
6. il est / c'est un.

4) Chiffres et nombres, p. 17

1. 1,53.
2. 06 67 54 98 75.
3. 2 453.
4. 3 480.

5. A 217 60 99.
6. 23 8 9 33 41 49 / 32.
7. 155,40.
8. 01 54 44 78 98.

5) Liaisons, p. 17

a) 1. Ce matin, Jeanne est allée à l'école.
2. Vous avez du feu ?
3. Vous êtes italienne ?
4. Ne vous énervez pas, le train est à l'heure.

5. Ce jeu, c'est assez difficile.
6. Elle est à toi, cette chanson...
7. Vous aimez le cinéma ?
8. Jacques est absent.

6) Aussi / non plus, p. 18

1. non plus. **2.** aussi. **3.** non plus. **4.** aussi. **5.** aussi. **6.** non plus.

7) Possessifs, p. 18

1. ton.
2. ma.
3. mes.

4. leurs.
5. ses.
6. vos.

7. ton.
8. votre.
9. ses.

10. mon.
11. son.
12. mes.

8) Raconter une journée, p. 19

3	6	9	1	7	8	5	2	10	4

9) Chronologie, p. 19

Lundi : voyage et réunion à Genève.

Mardi : travail au bureau, matin et après-midi jusqu'à 21 heures.

Mercredi : maladie de Lydie / 14 h : réunion / 17 h : réunion / 21 h : dîner.

Jeudi : matin avion pour Florence / soir : départ pour Rome.

Vendredi soir : retour de Rome.

Samedi – dimanche : farniente / samedi midi : visite de Marie.

10) Itinéraire, p. 19

à / en face d' / à droite / sur.

11) Verbes de mouvement, p. 20

1. retourner.

2. rentrer.

3. vais / reviendrai.

4. revient.

5. reviendrai.

6. vais / retourne.

7. reviens.

8. revenu / rentré.

12) Subjonctif, p. 20

1. tu fasses.

2. vous arriviez.

3. vous passiez.

4. il parte.

5. vous parliez.

6. tu sois.

7. vienne.

Séquence 4 p. 21

1) Itinéraire, p. 21

Pour aller chez Anne-Marie :

– prendre le bus n° 2 à l'arrêt Marbeuf ;

– descendre arrêt Montferrand (avant-dernier arrêt de la ligne), station-service en face ;

– traverser le boulevard ;

– prendre la rue à droite de la station = rue Michelet (?), rue en pente ;

– 2e feu, prendre à gauche = rue Bontemps – n° 15 bis – nom sur la porte.

2) Itinéraire, p. 21

– adresse : rue des Italiens (près de la gare) ;

– depuis la gare, longer les entrepôts à droite (direction Fougereuil) ;

– à 500 mètres, terrain vague, puis chantier (usine en construction) ;

– devant l'usine, carrefour ;

– rue à droite au carrefour → rue des Italiens ;

– prendre à droite, faire 100 mètres (enseigne orange).

3) Biographie, p. 21

1951 : naissance de Jean-Pierre Dardenne.

1954 : naissance de Luc Dardenne.

1978-1983 : réalisation de courts métrages et de films documentaires.

1992 : réalisation du film *Je pense à vous*.

1996 : réalisation du film *La Promesse*, film présenté à la Quinzaine des réalisateurs à Cannes.

1999 : Palme d'or au festival de Cannes avec le film *Rosetta*.

2002 : présentation au festival de Cannes du film *Le fils*.

4) Biographie, p. 22

Alberto Santos-Dumont : le plus parisien des Brésiliens

Alberto Santos-Dumont a été un pionnier de l'aviation. Il est né en 1873 à São Paolo. Après des études d'ingénieur, il s'est installé à Paris. En 1898, il a construit son premier dirigeable qu'il pilotait lui-même et il est devenu ainsi un pionnier du vol en dirigeable. Les Parisiens le connaissaient bien et étaient habitués à le voir survoler la capitale, coiffé de sa célèbre casquette. En 1901, il a volé en dirigeable de Saint-Cloud à la tour Eiffel, aller-retour.

En 1906, il a construit un avion, le Santos n°14 bis. C'est cette année-là qu'il a établi le premier record du monde de vitesse en avion à moteur avec un vol de 220 mètres en 21 secondes, à la vitesse de 38 kilomètres à l'heure.

En 1909, Santos-Dumont a construit un avion monoplan qu'il a appelé La Demoiselle et qui pesait 117 kilos, pilote compris. Le 13 septembre de cette même année, il a parcouru 8 kilomètres, de Saint-Cyr à Bue, en cinq minutes. Il a ensuite obtenu, en 1910, ses brevets de pilote de ballon libre, de dirigeable, de monoplan et de biplan avant de se retirer de la vie aéronautique : il avait accompli ses rêves. Alberto Santos-Dumont est mort en 1932 à São Paolo.

5) Décrire, p. 22

a)

Dessin	1	2	3	4
Texte	b	d	a	c

b) Pas de chance : il pleut depuis une semaine. Nous faisons tous les jours une excursion en montagne, mais nous marchons sous la pluie. Quand nous rentrerons en septembre, nous ne verrons pas le changement. J'ai déjà attrapé un gros rhume... C'est décidé, l'année prochaine, nous descendrons dans le Midi et vers le soleil.

6) Verbes du discours rapporté, p. 23

1. a averti.

2. promets.

3. a proposé.

4. a critiqué.

5. approuver.

6. a annoncé.

7. a reconnu.

8. a encouragé.

9. interdit.

10. renonce.

7) Questions sur un texte, p. 24

	Vrai	Faux
1.	☒	
2.		☒
3.	☒	
4.	☒	
5.	☒	
6.		☒
7.		☒
8.	☒	
9.		☒

8) Formuler une proposition par écrit, p. 25

Imprimerie Dorval
137, boulevard Gallieni
69 007 Lyon

Lyon, le 14 / 02 / 2002

Monsieur Laurent Jacob
9, rue Nungesser-et-Coli
69 230 Saint-Genis-Laval

Monsieur,

En réponse à votre lettre du 04.02.2002, j'ai le regret de vous informer que nous n'avons malheureusement pas la possibilité de vous employer au mois de juillet car nous ne disposons pas de place pour ce mois.

En revanche, je suis heureux de vous proposer un emploi temporaire de livreur-manutentionnaire pour les mois d'août et de septembre.

Si ma proposition vous intéresse, je vous serais reconnaissant de prendre rapidement contact avec notre secrétariat au numéro 04 85 85 67 42 (Mademoiselle Courty) en indiquant si vous êtes titulaire d'un permis de conduire.

Je vous prie d'agréer, Monsieur, l'expression de mes salutations distinguées.

Gabriel Raymondi
Directeur

9) Formuler un refus par écrit, p. 26

Institut du Développement Personnel
2, rue du Moulin
30 600 Vauvert

Vauvert, le 02 / 09 / 2002

Le directeur

à Monsieur Jean-Nicolas Robert
12, passage des Vents
42 000 Saint-Etienne

Monsieur,

J'ai bien reçu votre lettre en date du 25.08.2002 qui a retenu toute mon attention.

Je ne peux malheureusement pas retenir votre candidature pour l'animation du séminaire de techniques d'expression du mois de novembre prochain.

Cependant, je ne manquerai pas de prendre contact avec vous si je suis en mesure de vous faire, dans un proche avenir, une proposition de poste.

Je vous prie de croire, Monsieur, à l'expression de mes sentiments les meilleurs.

Romuald Jacousy

✿ ✿ Parcours 2, p. 27 ✿ ✿

Séquence 5 p. 28

1) Indicateurs de temps, p. 28

a. Enregistrement n° 2.
b. Enregistrement n° 4.
c. Enregistrement n° 1.
d. Enregistrement n° 5.
e. Enregistrement n° 6.
f. Enregistrement n° 3.

2) Avant / après, p. 28

1. avant, j'y allais trois fois par semaine.
2. maintenant, je fais du vélo.
3. maintenant, j'habite à la campagne.
4. avant, j'avais un bon salaire.
5. avant, je jouais toutes les semaines.
6. maintenant, ce n'est pas évident.
7. maintenant, il est en pleine forme.
8. avant, il travaillait dans une compagnie d'assurances.

3) Accompli / non accompli, p. 29

	L'action est finie	L'action continue
1.	☒	
2.		☒
3.	☒	
4.		☒
5.	☒	
6.		☒
7.		☒
8.	☒	
9.		☒
10.		☒

4) Antériorité / postériorité, p. 29

1	2	3	4	5	6	7	8
h	a	g	b	d	c	f	e

5) Indicateurs de temps, p. 30

1. depuis.
2. il y a.
3. depuis.
4. il y a.
5. Ça fait.
6. Depuis.
7. Ça fait.
8. depuis.
9. depuis.
10. depuis.

6) Avant..., p. 30

	Personne 1	Personne 2	Personne 3
1.			☒
2.	☒		
3.	☒		☒
4.		☒	
5.	☒		☒
6.		☒	
7.	☒		☒
8.		☒	
9.	☒		
10.		☒	
11.	☒		☒

7) Durée, p. 31

	Ce qui est évoqué dure longtemps	Ce qui est évoqué ne dure pas longtemps
1		×
2	×	
3		×
4		×
5	×	
6		×
7	×	
8		×
9	×	
10		×

8) Fréquence, p. 31

a. Enregistrement n° 4.

b. Enregistrement n° 7.

c. Enregistrement n° 2.

d. Enregistrement n° 8.

e. Enregistrement n° 10.

f. Enregistrement n° 1.

g. Enregistrement n° 5.

h. Enregistrement n° 9.

i. Enregistrement n° 6.

j. Enregistrement n° 3.

9) Production écrite : la fréquence, p. 31

Les Français lisent peu : près de la moitié d'entre eux ne lisent jamais. 30 % des Français lisent un livre par mois et seulement un Français sur dix lit plusieurs livres par mois. Mais ils vont plus souvent au cinéma : 51 % des Français vont au moins une fois par mois au cinéma et 17 % y vont plus de deux fois. Les Français sont également peu mélomanes : 22 % d'entre eux seulement vont au moins une fois par an à un concert. Très peu de Français – 3 % – vont à l'Opéra.

En revanche, ils sont nettement plus nombreux à aller au théâtre et au cirque. De même, ils visitent assez souvent les musées et les monuments historiques.

10) Orthographe : graphie du son [ã], p. 32

vacances / enfant / longtemps / changé.

s'étendaient / champs / maintenant / paysans / emballage.

mouvement / campagne / remplacé / gens / rencontraient.

habitants / considérablement / augmenté / semble / éprouvant / sentiment / temps / temps.

Séquence 6 **p. 33**

1) Imparfait / plus-que-parfait, p. 33

	Imparfait	Plus-que-parfait
1.		⊠
2.	⊠	
3.		⊠
4.	⊠	
5.	⊠	
6.		⊠
7.	⊠	
8.		⊠
9.	⊠	
10.		⊠

2 Antériorité / simultanéité / postériorité, p. 33

1. pendant.   **3.** après.   **5.** avant.   **7.** après.
2. Pendant / après.   **4.** Avant.   **6.** pendant.   **8.** pendant / après.

3 Accords du participe passé, p. 34

	Homme	Femme	Plusieurs personnes
1.	☒		
2.		☒	
3.			☒
4.		☒	
5.	☒		
6.		☒	
7.		☒	
8.			☒
9.	☒		
10.		☒	

4 Indicateurs de chronologie, p. 34

Remarque : d'autres indicateurs de chronologie que ceux utilisés peuvent parfois convenir. Quelques variantes sont indiquées.

1. au mois de septembre *ou* le 19 août *ou* après les vacances, etc.
2. avant.
3. cette année.
4. À 20 h 30 / Ensuite / à 23 h 35 *ou* en fin de soirée, etc.
5. aujourd'hui / demain / Après-demain / avant la semaine prochaine.
6. le matin / Ensuite / L'après-midi / le soir *ou* à 21 h, etc.
7. hier / d'abord *ou* pour commencer / Ensuite / une heure et quart / Enfin / avant / vers 18 h 45.

5 Lettre d'excuse, p. 35

1. | c | b | a |

2. | c | a | b |

3. | b | c | a |

4. | b | a | c |

6 À vous !, p. 35

1. Ma chère Colette,
Je suis désolée de ne pas pouvoir aller te chercher à la gare demain à 17 h 10 comme c'était prévu. Je dois absolument conduire Antoine chez le dentiste : il a très mal aux dents depuis ce matin. Prends un taxi et attends-moi chez Claudine qui sera chez elle. Je vous retrouverai là-bas vers 21 h. Encore mille excuses.
                                                                                    Bises
                                                                                    Fabienne

2. Allô, c'est Gilbert. Désolée, ma chérie : tu me demandes de te rendre ton bouquin sur la photographie. Il y a erreur : ce n'est pas à moi que tu l'as prêté. Ah ! la mémoire...   Je t'embrasse.
ou
Allô, c'est Gilbert. J'ai trouvé ton mot sur mon répondeur. Tu me demandes le livre sur la photographie que tu m'as prêté. Excuse-moi, mais je n'arrive pas à le retrouver. Je ne sais pas ce que j'en ai fait. Je vais chercher encore, mais je crois bien que je vais être obligé de t'en acheter un autre.
                                                                                    À bientôt

3. Patrick,

Excuse-moi : je ne suis pas là et tu trouves ma porte fermée... Je suis désolé mais mon chef de service m'a demandé de rester au bureau pour finir un travail urgent et je ne rentrerai pas avant 19 h 30. Je te téléphonerai dès mon retour.

À plus tard,
Gérard

7 Formes du plus-que-parfait, p. 36

1. nous avions (déjà) quitté.
2. étions parti(e)s.
3. avais (déjà) rencontré.
4. était arrivée.
5. étions sorti(e)s.

6. aviez renvoyé.
7. avaient acheté.
8. aviez fait.
9. avais rencontré.
10. avait gagné.

8 Vocabulaire : expressions verbales avec le mot *temps*, p. 36

1. n'ai pas le temps.
2. prendre le temps.
3. demande du temps.
4. laisser du temps.
5. défient le temps.
6. tuer le temps.

7. gagner du temps.
8. perds ton temps !
9. a fait son temps.
10. arriver à temps.
11. avons passé du bon temps.
12. fera passer le temps.

9 Vocabulaire : expressions et proverbes avec le mot *temps*, p. 37

1	2	3	4	5	6	7	8	9	10
f	h	a	i	e	b	d	g	c	j

10 Expression écrite, p. 38

vers 14 h / a retenti / est sortie / s'est éloignée / Une vendeuse / l'a rattrapée / Deux passants / la jeune voleuse / s'est assise / a commencé.
s'est levée / un autre chapeau.

11 Expression écrite, p. 38

de nouveau / La nuit dernière / un incendie de poubelle / la cave / un voisin inquiet / La semaine dernière / en fin d'après-midi.
des mesures de sécurité / une concierge / étions.

12 Expression écrite, p. 39

Collision frontale : un blessé léger

Cette nuit, rue du Vieux Moulin, vers 4 heures du matin, une voiture a quitté la voie de droite et elle est allée heurter une Renault 5 qui arrivait sur la voie d'en face. D'après les premiers éléments de l'enquête, le conducteur a apparemment perdu le contrôle de son véhicule. Il s'est peut-être endormi au volant. Dans l'accident, le conducteur de la Renault 5 à été légèrement blessé à l'épaule. Il s'agit d'un jeune homme de 23 ans, étudiant à la faculté des lettres. Les pompiers l'ont conduit à l'hôpital. Le conducteur de l'autre véhicule n'a apparemment aucune blessure. Mais on l'a lui aussi placé sous surveillance médicale à l'hôpital. En effet, les gendarmes affirment que le choc a été assez violent.

13) Expression écrite, p. 39

Orages catastrophiques en Isère

1. Des pluies diluviennes se sont abattues sur la région Rhône-Alpes, notamment dans le département de l'Isère.
2. Il y a eu de nombreux dégâts : villages inondés, maisons privées d'eau et d'électricité, routes coupées.
3. Les agents d'EDF et les sapeurs-pompiers du département sont intervenus pendant toute la nuit et pendant toute la journée d'hier.
4. On conseille de ne pas boire l'eau du robinet à cause de la pollution. On a distribué des bouteilles d'eau minérale à la population. Les écoles sont restées fermées parce qu'il n'y avait pas de transports scolaires.
5. Le préfet de l'Isère a déclaré que la situation serait de nouveau normale demain ou après-demain.
6. La météo annonce d'autres intempéries pour la semaine prochaine. Cela provoque une certaine inquiétude.

Séquence 7 p. 40

1) Consignes, p. 40

a) Le régime végétarien → enregistrement n° 3.
Le régime « Sud-Ouest » → enregistrement n° 1.
Le régime « haricot vert » → enregistrement n° 2.

b) et **c)** sont des activités d'expression écrite personnelle. On ne propose donc pas de corrigé-type.

2) Comparaisons pour caractériser une personne, p. 41

1	2	3	4	5	6	7	8
c	e	b	f	h	a	g	d

3) Nominalisation, p. 41

1. La municipalité a aménagé la rue Ambroise Paré en zone piétonnière.
2. Le dollar baisse / a baissé par rapport à l'euro.
3. Les ministres des Finances des pays de l'Union européenne se réunissent aujourd'hui à Strasbourg.
4. La météo annonce pour demain une amélioration du temps.
5. Les soldes d'été débuteront à partir de mardi prochain.
6. Le magasin fermera du 12 au 18 juillet prochains.
7. On a annulé la réunion du 15 février.
8. Les cours ont repris hier matin à la faculté des sciences.

4) Vocabulaire / expressions pour caractériser une personne, p. 42

1	2	3	4	5	6	7	8
h	a	g	b	f	d	c	e

5) Caractériser un objet, p. 42

1. Une glacière électrique.
2. Un ventilateur électrique.
3. Un poste de radio.
4. Une montre.
5. Des jumelles.
6. Des mocassins.

6) Caractériser un objet, p. 43

1. Cette belle valise à roulettes vous sera très utile pour voyager. Elle est équipée d'une poignée télescopique et de larges roulettes de 6 cm de diamètre. Elle a également deux grosses poches latérales très pratiques pour y placer vos dossiers importants, vos revues et vos magazines. Elle est munie d'un cadenas et d'un porte-étiquette. Très solide, elle est en toile polyester et ses dimensions sont de 34 × 54 × 25 cm.

2. Ce magnifique collier est un objet élégant et raffiné. Il est réalisé avec de belles perles de culture d'un diamètre de 6 mm qui viennent de Chine. Elles sont percées et assemblées sur un fil polyester. Il est muni d'un fermoir en or 18 carats et livré dans un bel écrin. Sa longueur est de 43 cm.

3. Ce joli parasol vous protégera du soleil cet été. Il est de forme rectangulaire et ses dimensions sont de 3 m × 2 m. Il est constitué d'une armature en bois exotique recouverte d'une toile colorée de coton imperméabilisée. Il s'ouvre facilement au moyen d'une manivelle. C'est un objet vraiment pratique et agréable pour l'été.

4. Passez un été sans moustiques grâce à cet appareil révolutionnaire, efficace et inoffensif ! Il fonctionne aux ultra-sons, sans odeur et avec une consommation électrique minime (0,7 watt / heure). Il suffit de le brancher sur une prise électrique.

5. Ce puissant aspirateur de voiture se branche directement sur l'allume-cigares (le cordon est fourni). Sa puissance est de 700 watts mais c'est un appareil maniable et léger. Il est livré avec 3 embouts et 2 brosses adaptables. Il est équipé d'un filtre à poussière. Sa longueur est de 25 cm pour un poids de 1 kg.

6. Ce barbecue électrique est la Rolls-Royce des barbecues ! Il fonctionne sans feu, sans flammes, sans bois ni charbon et il est donc pratique et sans danger. Il est construit entièrement en acier inoxydable. Il comporte une résistance de 2 000 watts et il est muni d'un couvercle. Il est équipé d'une minuterie et d'un thermostat. Il dispose d'un éclairage intérieur pour surveiller la cuisson. Dimensions : 57 × 30 × 33 cm. C'est l'appareil idéal pour vos soirées gastronomiques de cet été !

7) Repérage de la cause, p. 44

1. Je n'ai pas pu partir <u>à cause de la grève des trains.</u>
2. Nous passerons nos vacances en Bretagne <u>parce que ma femme et mes enfants aiment beaucoup la mer.</u>
3. Excuse-moi, je dois partir : <u>j'ai un cours à 16 heures.</u>
4. J'ai eu une réduction à la librairie À *la Page* <u>parce que je connais bien le libraire.</u>
5. François aime bien Sylvie <u>parce qu'elle est très sympathique mais aussi ... parce qu'elle a de très beaux yeux.</u>
6. C'est <u>le brouillard</u> qui a provoqué l'accident.
7. Fabien, <u>qui était malade</u>, n'a pas pu venir à notre réunion.
8. <u>Grâce à Internet</u>, on peut entrer en relation avec des gens du monde entier.

8) Repérage de la cause, p. 45

a)

1	2	3	4	5	6	7	8
c	h	f	e	b	g	a	d

b) 1. Il y a beaucoup d'accidents parce que les automobilistes roulent trop vite *ou* à cause de la vitesse excessive des automobilistes.

2. J'ai trouvé du travail grâce à l'intervention de Pascal *ou* parce que Pascal est intervenu.

3. Nous avons passé des vacances merveilleuses parce que nous avons eu un temps magnifique *ou* grâce à de bonnes conditions météorologiques.

4. Jean-Paul a réussi parce qu'il a beaucoup travaillé *ou* grâce à un travail acharné.

5. Je peux m'acheter une nouvelle voiture parce que j'ai touché une grosse somme au Loto *ou* grâce à un gain inattendu au Loto.

6. Jean-Michel ne pourra pas participer au match de dimanche parce qu'il s'est foulé la cheville *ou* à cause d'une blessure à la cheville.

7. Tu as rendu ton appartement beaucoup plus gai parce que tu l'as repeint *ou* grâce à de nouvelles peintures.

8. Marielle n'a pas pu venir parce qu'elle est au lit avec 39° *ou* à cause de la fièvre.

9) Expression de la cause, p. 46

1. Pourquoi tu ne sors pas en discothèque avec nous ?

2. Pourquoi tu ne quittes pas Elisabeth ?

3. Pourquoi tu ne pars pas en vacances ?

4. Pourquoi tu ne veux pas voir Olivier ?

5. Pourquoi tu commandes toujours des pâtes à la bolognaise ?

6. Pourquoi tu ne prends pas de dessert ?

7. Pourquoi tu pars ce week-end chez tes parents ?

8. Pourquoi tu ne réponds pas à ma question ?

10) Repérage et expression de la cause et de la conséquence, p. 46

a) 1. Tu écris très mal. Je ne peux pas te lire.
   Cause — Conséquence

2. Je ne peux pas enfiler cette chemise. Elle n'est pas à ma taille.
   Conséquence — Cause

3. Tu peux me prêter de l'argent ? Je n'ai plus un euro.
   Conséquence — Cause

4. Je vais téléphoner à Jacques : c'est son anniversaire.
   Conséquence — Cause

5. J'ai oublié mes clés au bureau. Je ne peux pas rentrer chez moi.
   Cause — Conséquence

6. Sophie est très sensible. Tu ne devrais pas lui parler comme ça.
   Cause — Conséquence

7. Je ne peux pas te suivre. Tu marches trop vite.
   Conséquence — Cause

8. J'ai mal à la tête. Je ne veux pas sortir ce soir.
   Cause — Conséquence

b) a. Je ne peux pas te lire parce que tu écris très mal.

b. Je ne peux pas enfiler cette chemise parce qu'elle n'est pas à ma taille.

c. Tu peux me prêter de l'argent ? ... parce que je n'ai plus un euro.

d. Je vais téléphoner à Jacques parce que c'est son anniversaire.

e. Je ne peux pas rentrer chez moi parce que j'ai oublié mes clés au bureau.

f. Tu ne devrais pas parler comme ça à Sophie, parce qu'elle est très sensible.

g. Je ne peux pas te suivre parce que tu marches trop vite.

h. Je ne veux pas sortir ce soir parce que j'ai mal à la tête.

⑪ Expression de la cause et de la conséquence, p. 47

1. Un orage a provoqué une panne d'électricité.
2. J'ai arrêté de fumer à la suite des conseils du médecin *ou* sur les conseils du médecin.
3. Je pars en vacances parce que je suis fatigué.
4. Il a pris le bateau parce qu'il a peur en avion.
5. Nous n'avons pas dormi à cause d'une fête chez les voisins.
6. Le défilé du 14 Juillet a causé / a provoqué un énorme embouteillage.
7. Martin a été hospitalisé à la suite d'une insolation.
8. Les parents de Louis sont inquiets parce qu'ils n'ont pas de nouvelles de lui.

⑫ Orthographe : quelques homophones, p. 48

Vers / ver / vers / verre / vert / vers.
mère / maire / mer.
père / perd / paire / pairs / taire / terre / ter.

 **Séquence 8** **p. 49**

① Futur proche ou lointain, p. 49

	Futur proche	Futur lointain
1.	☒	
2.	☒	
3.		☒
4.		☒
5.	☒	
6.		☒
7.	☒	
8.		☒
9.	☒	
10.		☒

② Valeurs du futur, p. 49

	Une promesse	Une consigne / un ordre	Une prévision	Une demande
1.				☒
2.			☒	
3.	☒			
4.		☒		
5.	☒			
6.		☒		
7.			☒	
8.		☒		
9.				☒
10.				☒

3) Compréhension orale / expression écrite, p. 50

14 h – Grande rue au centre-ville : concert de musique militaire par la fanfare de la Légion étrangère.

15 h – Rue Battant : Groupe Nolybo (musique traditionnelle sénégalaise).

16 h 30 – Groupe Médéa (musique sud-américaine).

17 h 15 – Place Victor Hugo : groupe de blues et jazz à l'harmonica.

18 h – Rue de la Madeleine : chanson française (Piaf, Brassens, Barbara, Brel, etc.).

20 h – Cathédrale Saint-Jean : chorale portugaise.

Autres animations musicales : groupes de rock, de salsa, de reggae, jazz et musique classique.

Attention ! L'accès au centre-ville sera réservé aux piétons à partir de 14 h. Les itinéraires des bus seront modifiés l'après-midi et en soirée.

4) Morphologie des verbes au futur, p. 50

1. répondrai / pourrai.

2. partirons / voudras.

3. oublierez.

4. verrons / donnerons.

5. tiendra.

6. seront / feront.

7. devrons.

8. faudra.

9. sauras / donneras.

10. viendrai.

5) Compréhension orale / expression écrite, p. 51

- Bordeaux / des côtes de France / le Portugal (avec une escale à Lisbonne) et l'Espagne / Gibraltar / Barcelone / Marseille / 1 500 euros.
- 7 au 13 octobre 2002 / Marseille / l'Italie / Florence / Pise / Carrare / la Corse (escale à Ajaccio) / Marseille / 1 050 euros.
- *Deux jours de fête à bord de l'ancien France* / 19 au 21 septembre / 13 au 15 octobre / du Havre / 303 euros.
- gastronomique / Marseille / La Valette (île de Malte) / l'Italie / Florence / Pise / Carrare / Marseille / 1 357 euros.

6) Compréhension orale / expression écrite, p. 52

Le Mexique à Sornay !

- Samedi 21 juin : 20 h 30 – salle des fêtes
  - Conférence de l'abbé Jean-Christophe Démazières. Sujet : l'émigration des habitants de Champlitte (Haute-Saône) vers le Mexique au XIXᵉ siècle.
  - Exposition de photographies et dégustation de produits mexicains.
- Dimanche 22 juin
  - 15 h devant la mairie : concert de musique mexicaine et d'Amérique du Sud (groupe de jeunes musiciens français, groupe brésilien, groupe de jeunes Mexicains et Mexicaines, étudiants au Centre de Linguistique Appliquée de Besançon).
  - 17 h : pot de l'amitié.

En cas de pluie, repli sur la salle des fêtes *ou* on se repliera sur la salle des fêtes.

7) Compréhension orale / expression écrite, p. 53

Turquie : Istanbul, Ankara et la Cappadoce

3 août : vol Paris-Istanbul / arrivée le soir.

4 août : séjour à Istanbul / visite des mosquées, de la mosquée bleue, de Sainte-Sophie, du palais de Topkapi.

5 août : journée libre à Istanbul (visite du grand bazar ?) / 21 h17 : vol Istanbul-Ankara / transfert à l'hôtel Etap en bus.

6 août : visite du musée des Antiquités anatoliennes (Ankara) / repas de midi dans un restaurant de la citadelle d'Ankara / départ d'Ankara pour la Cappadoce / arrivée à Ürgüp en fin d'après-midi.

7 août : visite des ateliers de potiers à Avanos / excursion en bus (*cheminées de fées*).

8 août : journée libre / retour à Ankara en fin de journée.

9 août : vol Ankara-Paris sur Turkish Airlines / arrivée à Paris à 14 h 32.

8) Futur antérieur, p. 53

1. Quand nous aurons terminé les travaux d'électricité, nous referons les peintures.
2. Quand tu auras appris ta leçon, tu feras les exercices.
3. Quand Hamid aura fini de téléphoner, je passerai un coup de fil à Julia.
4. Quand vous aurez mélangé les œufs et le sucre, vous ajouterez la farine.
5. Quand vous aurez tourné à droite, vous apercevrez une vieille église.
6. Quand tu auras terminé ce livre de Del Pappas, je t'en prêterai un autre.
7. Quand je serai sorti, tu fermeras soigneusement la porte derrière moi.
8. Quand tu auras passé ton baccalauréat, tu feras ce que tu voudras.

9) Futur antérieur, p. 54

1. auront fini.
2. sera rentré.
3. aurez compris.
4. auront quitté.
5. aurez terminé.
6. aurai reçu.
7. aura trouvé.
8. sera revenue.

10) Futur antérieur, p. 54

1. seras parti(e) / sera.
2. auront / auront interrogé.
3. aurai fait développer / enverrai.
4. achèterai / aura remboursé.
5. auras allumé / pourrons.
6. resterai / aurez pas répondu.
7. aura plu / sera.
8. regretterai / aurai quittée.

11) Orthographe : les homophones *quand / qu'en*, p. 55

1. qu'en.
2. quand.
3. qu'en.
4. qu'en.
5. quand.
6. quand.
7. qu'en.
8. qu'en.
9. quand.
10. qu'en.

12) Orthographe : les homophones *vois / voit / voient / voix / voie*, p. 55

1. vois.
2. voie.
3. voit.
4. voix.
5. voient.
6. voie.
7. voix.
8. vois.
9. voit.
10. voie.

Parcours 3, p. 57

p. 58

1) Articulateurs logiques, p. 58

1. en raison des.
2. Grâce à.
3. pour cause de.
4. Grâce à.
5. À la suite d' / en raison d'.

6. à cause de.
7. Grâce à.
8. à cause du.
9. Grâce à.
10. En raison des.

2) Verbes, p. 58

1. est à l'origine *ou* a provoqué *ou* a causé.
2. a provoqué *ou* a été responsable d'.
3. est due.
4. a provoqué *ou* a causé *ou* a été à l'origine d'.
5. est à l'origine.

6. sont dus.
7. êtes responsable.
8. est à l'origine.
9. provoquer *ou* causer.
10. est due.

3) Cause / conséquence, p. 59

1. car ils sont grippés.
2. grâce à ses compétences.
3. à cause de son manque de concentration.

4. parce qu'elle a gagné un concours.
5. car je n'en ai pas les moyens.

4) Positif / négatif, p. 59

	Idée positive	Idée négative
1.	⊠	
2.		⊠
3.	⊠	
4.		⊠
5.	⊠	
6.	⊠	
7.		⊠
8.		⊠
9.		⊠
10.	⊠	

5) Résultat, p. 60

a. Enregistrement n° 5.
b. Enregistrement n° 3.
c. Enregistrement n° 8.
d. Enregistrement n° 1.

e. Enregistrement n° 6.
f. Enregistrement n° 4.
g. Enregistrement n° 2.
h. Enregistrement n° 7.

6) Questions sur un texte, p. 60

a) 1. trois qualités de l'air marin qui sont exposées.
2. moins de microbes que celui des villes.
3. non.

4. oui.
5. oui.
6. oui.

b) 1. L'air marin est plus riche en oxygène et en ozone.
   2. Il y a dans l'air marin des particules riches en sels et en iode.
   3. L'air est purifié par les rayons ultraviolets qui se reflètent sur la mer.

7) Explication, p. 61

a. Question n° 3.   **c.** Question n° 2.   **e.** Question n° 1.   **g.** Question n° 7.
b. Question n° 5.   **d.** Question n° 8.   **f.** Question n° 6.   **h.** Question n° 4.

8) Cause / conséquence, p. 61

1. Le spectacle en plein air a été annulé à cause d'un orage.
2. À la suite de travaux, l'autoroute est coupée sur deux kilomètres.
3. Marc a fait des progrès parce qu'il a beaucoup travaillé.
4. Grâce à la reprise économique, le chômage a diminué.
5. Je n'ai pas pu m'inscrire parce que j'étais en retard.
6. C'est un très bon film parce qu'il a été réalisé à partir d'un excellent roman.
7. Les magasins sont fermés parce qu'il est plus de 8 h.
8. L'arrêt des travaux est dû à l'absence de crédits.
9. Je ne pars pas ce soir parce que je n'ai pas trouvé de billet d'avion.
10. Elle est rentrée chez elle à cause d'un léger malaise.
11. Je ne suis pas allé au cinéma parce qu'il n'y a rien d'intéressant.

9) Noms d'origine étrangère, p. 62

1. Week-end → anglais.   **6.** Parking → anglais.
2. Hasard → arabe.   **7.** Pizza → italien.
3. Hamac → espagnol.   **8.** Kimono → japonais.
4. Anorak → esquimau.   **9.** Safari → swahili.
5. Téléphone → grec.   **10.** Poncho → espagnol.

10) Orthographe : les homophones *par ce que / parce que*, p. 62

1. par ce que.   **3.** parce qu'.   **5.** parce qu'.   **7.** parce que.
2. parce qu'.   **4.** par ce qu' / par ce qu'.   **6.** par ce que.   **8.** par ce que.

Séquence 10 p. 63

1) Consignes, p. 63

1. Si vous souhaitez obtenir des informations sur les horaires, faites le 1.
2. Si vous voulez connaître l'état du trafic, faites le 2.
3. Si vous désirez contacter un vendeur, faites le 3.
4. Si vous voulez réserver, appuyez sur dièse.
5. Si vous désirez avoir le programme des cinémas, appelez le 03 55 44 33 22.
6. Si vous souhaitez accéder à la banque de données de notre service, tapez *accès*.
7. Si vous désirez interroger à distance votre répondeur, faites votre numéro suivi de votre code personnel.
8. Si vous voulez appeler un taxi, composez le 44 44.
9. Si vous souhaitez commander un article, tapez sur la touche 6.
10. Si vous voulez annuler votre commande, faites le 0.

2) Valeurs de *si* + phrase, p. 64

	Menace	Proposition	Promesse	Demande	Ordre
1		X			
2	X				
3				X	
4		X			
5			X		
6	X				
7				X	
8					X
9		X			
10				X	

3) Trucs et astuces, p. 64

1. Si vous couvrez des champignons avec une feuille d'aluminium, ils ne deviendront pas noirs quand vous les mettrez au frigo.
2. Si vous voulez éviter de mettre de la peinture sur les vitres en peignant le tour des fenêtres, passez du savon dessus avant de peindre.
3. Si vous voulez enlever une vis rouillée, chauffez le tournevis « au rouge » et appuyez deux minutes sur la vis.
4. Si vous lavez des fraises, n'enlevez pas la queue : ainsi, elles n'auront pas le goût de l'eau.
5. Si vous voulez éviter les mauvaises odeurs quand vous faites cuire du chou-fleur, il faut le faire cuire avec un morceau de pain.

4) Hypothèses / pronostics, p. 65

Quarts de finale	Demi-finales
1. Allemagne	1. Allemagne
2. États-Unis	2. Corée du Sud
1. Corée du Sud	1. Turquie
2. Espagne	2. Brésil
1. Angleterre	
2. Brésil	
1. Sénégal	
2. Turquie	

5) Que faire si..., p. 65

1	2	3	4	5	6	7	8	9	10
c	g	f	i	d	a	j	h	e	b

CORRIGÉS

6) Si..., p. 66

1. tu rates le train de 8 h 47.
2. tu as perdu ton portefeuille.
3. fait beau.
4. tu vois Roland.
5. tu prends ta voiture pour partir en vacances.
6. nous ne pouvons pas déjeuner à l'extérieur.
7. vous quittez la maison.
8. nous avons une fille.

7) Reformuler une hypothèse, p. 66

1. S'il pleut, le spectacle aura lieu dans la salle des fêtes.
2. Au cas où vous arriveriez en retard, prenez un taxi.
3. En cas d'absence, vous trouverez les clés chez la concierge.
4. Si vous avez des problèmes, appelez-moi à la maison.
5. En cas d'accident, appelez tout de suite votre assurance.
6. Si tu n'as pas assez d'argent pour acheter ce vélo, je peux t'en prêter.
7. Au cas où vous trouveriez un petit chat noir et blanc, appelez le 06 77 85 54 34.

8) Sens du verbe *pouvoir*, p. 67

1	2	3	4	5	6	7	8	9	10
i	f	d	j	a	e	h	c	g	b

9) Sens du verbe *prendre*, p. 67

a. Enregistrement n° 10.
b. Enregistrement n° 6.
c. Enregistrement n° 9.
d. Enregistrement n° 3.
e. Enregistrement n° 1.
f. Enregistrement n° 7.
g. Enregistrement n° 2.
h. Enregistrement n° 5.
i. Enregistrement n° 8.
j. Enregistrement n° 4.

10) Sens du verbe *comprendre*, p. 67

1. concevoir / accepter.
2. saisir / réaliser.
3. déchiffrer.
4. saisir / réaliser.
5. inclure.
6. entendre / saisir.
7. saisir / déchiffrer.

11) Compréhension écrite, p. 68

1. Il faut maintenir en bon état le circuit électrique de votre appartement et tous les systèmes de chauffage, et ne pas commettre d'imprudence (bougie, cuisinière à gaz, etc.).
2. Vous devez d'abord garder votre sang-froid. Quand plus personne ne court de risques, il faut essayer de sortir de votre domicile les papiers importants et les objets de valeur. Il faut aussi éloigner les voitures de l'immeuble ou de la maison que vous habitez. Vous devez ensuite prendre contact avec votre assureur.
3. Si vous avez Assurtotal, votre assureur interviendra immédiatement après le sinistre. Il enverra des personnes pour vous aider à nettoyer et assécher votre appartement. Si des biens sont intacts, il les fera déménager.
4. Le rôle de l'expert de l'assurance est d'estimer les dégâts et de prendre toutes les mesures nécessaires.
5. Si vous ne pouvez plus habiter votre domicile, les services de votre assurance vous relogeront à l'hôtel où en location pendant le temps nécessaire aux réparations. Ils pourront aussi vous fournir de l'argent pour faire face aux premiers achats.
6. Si vous êtes locataire, l'assurance pourra vous aider à retrouver un logement.

12) Orthographe : les homophones *si / s'y / -ci / scie*, p. 69

1. s'y.   2. si.   3. -ci.   4. s'y.   5. scie.   6. Si.   7. -ci.   8. Si.   9. s'y.   10. s'y.

Séquence 11 p. 70

1) Repérage du passif, p. 70

	Oui	Non
1.	☒	
2.		☒
3.	☒	
4.	☒	
5.		☒
6.		☒
7.	☒	
8.		☒
9.	☒	
10.		☒

2) Passif, p. 70

1. Les cambrioleurs du « casse » de la rue Chambond ont été arrêtés par la police.
2. De nouvelles mesures économiques contre le chômage seront appliquées par le gouvernement à la rentrée.
3. Vous serez remboursé(e) de votre achat à la caisse du magasin.
4. Des inondations catastrophiques ont été provoquées par les violents orages de la semaine dernière.
5. Le dernier roman d'Anna Gavalda est recommandé par la critique.
6. Nous sommes intéressé(e)s par la formule numéro 3, avec un séjour à Corte.
7. Frédéric aura probablement été retardé par un embouteillage : il devrait bientôt arriver.
8. Le courrier nous était apporté chaque matin par le facteur.
9. La voiture a été garée rue de l'Ancienne Comédie par Jean-François.
10. Les enfants ont été fatigués par cette longue promenade.

3) Voix passive / voix active, p. 71

1. La météo a averti la population de l'arrivée prochaine d'un violent orage.
2. Le nouveau travail d'Alain l'occupe beaucoup.
3. Une large majorité de la population a réélu le maire de mon village.
4. Voilà bien longtemps que personne n'habite plus cette maison.
5. On refera entièrement les locaux pendant les vacances.
6. L'employée de l'agence de voyages m'a donné tous les renseignements nécessaires.
7. Les collègues de René lui ont offert un magnifique livre d'art.
8. La violente réaction de Nicolas a surpris tout le monde.
9. Pendant *la Semaine folle*, votre magasin vous offre une réduction de 25 % sur tous les produits régionaux. Profitez-en !
10. Trois amis nous attendaient à la gare.

4) Conjugaison du futur, p. 71

1. connaîtrons / préviendrons.
2. arriveront.
3. pourrez.
4. devras.
5. faudra.
6. verrai.
7. enverra / saura.
8. prendras.
9. attendrons.

5) Emplois du futur, p. 72

1. promesse. **3.** prévision. **5.** demande. **7.** promesse.
2. prescription. **4.** décision. **6.** ordre. **8.** conseil.

6) Doubles pronoms, p. 72

1. Je la lui ai prêtée parce qu'elle avait froid.
2. Tu le lui as emprunté.
3. Je les lui ai apportées.
4. Nous les leur avons envoyés.
5. Nous les leur avons montrées.

6. Je le lui ai rappelé.
7. Je la leur ai signalée.
8. Hélène la leur a servie.
9. Gérard et Claudine leur en ont parlé.
10. Je la lui ai racontée.

7) Doubles pronoms, p. 73

1. – Oui, je les lui ai rendues.
2. – Non, je ne peux pas te la prêter...
3. – Oui, je les lui ai envoyées...
4. – Oui, je le leur ai dit.

5. – Oui, je leur en ai donné un plein panier.
6. – Oui, monsieur, je la lui ai faxée...
7. – Oui, je lui en ai emprunté une bonne vingtaine.
8. – Mais si, rappelle-toi, je te l'ai présentée avant-hier, au café Pasteur.

8) Chronologie du récit, p. 73

Vache contre moto

3	5	2	1	4

Exercice de vocabulaire, p. 74

1	2	3	4	5	6	7	8	9
e	i	f	a	d	g	c	b	h

9) Orthographe : les homophones grammaticaux *l'a / l'as / la / là,* p. 74

1. la / l'a. **2.** l'as. **3.** là **4.** l'a. **5.** là. **6.** la. **7.** l'as. **8.** la. **9.** l'as / l'as.

Séquence 12 p. 75

1) Hypothèses, p. 75

	Passé	Présent	Futur
1		X	
2	X		
3			X
4	X		
5		X	
6		X	
7			X
8	X		
9		X	
10	X		

2) Conditionnel passé, p. 75

1. aurais pu.
2. aurais payé.
3. serais arrivé(e).
4. aurais compris.
5. aurions évité.

6. aurais prévenu(e).
7. aurait rencontré.
8. aurait trouvé.
9. aurais épousée.
10. serais devenu.

3) Sens du conditionnel passé, p. 76

	Reproche	Excuse	Remerciement	Regret
1				X
2	X			
3				X
4			X	
5	X			
6				X
7		X		
8	X			
9			X	

4) Cause / conséquence / résultat, p. 76

1. Si tu m'avais donné la bonne pièce, j'aurais pu réparer la douche.
2. Si j'étais arrivée à l'heure, je n'aurais pas raté le train.
3. Si je n'avais pas dormi pendant la conférence, j'aurais pu poser des questions à la fin.
4. Si la France n'avait pas perdu la Coupe du monde, l'entraîneur n'aurait pas été licencié.
5. Si Jean-Marie n'avait pas été odieux, je ne l'aurais pas mis à la porte.
6. S'il avait été aimable, j'aurais dîné avec lui.
7. Si le spectacle avait été intéressant, je ne serais pas partie avant la fin.
8. Si Jacques avait été habile, il aurait été recruté.
9. Si les Durand étaient venus, Alain aurait pu les rencontrer.

5) Ce qu'il ne fallait pas faire, p. 77

a. Enregistrement n° 6. **c.** Enregistrement n° 8. **e.** Enregistrement n° 7. **g.** Enregistrement n° 2.
b. Enregistrement n° 3. **d.** Enregistrement n° 1. **f.** Enregistrement n° 4. **h.** Enregistrement n° 5.

6) Remerciements, p. 77

1. Marc,
   Si tu ne m'avais pas prévenu, je n'aurais pas su que ce poste était libre et que j'avais seulement deux jours pour poser ma candidature. Merci !
2. Alain,
   Je te remercie : si tu ne m'avais pas recommandé ce livre, je n'aurais pas préparé mon concours avec. Cela m'a été très utile et j'ai réussi !
3. Luc, merci : si tu ne m'avais pas emmené à la gare, j'aurais raté mon train et donc j'aurais aussi raté mon avion pour Singapour.

4. Chère Christiane,

Si tu n'avais pas appelé ton amie médecin pour qu'elle me fasse une ordonnance, j'aurais eu de graves problèmes car je ne peux pas passer plus de 24 heures sans prendre ce médicament. Je te remercie donc.

5. Jeanne,

Si tu ne m'avais pas donné les coordonnées de cette jeune fille pour garder les enfants, je n'aurais pas pu aller à ce dîner tellement important pour moi. Merci de tout cœur.

7) Si / sinon, p. 78

1	2	3	4	5	6	7	8	9	10	11	12	13	14
d	f	l	i	k	a	e	m	h	n	j	c	g	b

8) Orthographe : les graphies du son [s], p. 78

a) s / c / ss / sc.   **b)** 47 fois !

9) Conditionnel / futur : les confusions verbales, p. 79

1. viendrai.   **3.** voudrais.   **5.** ferai.   **7.** irais.   **9.** aimerais.

2. pourrai.   **4.** souhaiterais.   **6.** ferais.   **8.** enverrai.   **10.** irai.

10) Orthographe : les homophones *leur / leurs*, p. 79

a) 1. leurs. **2.** leur / leur. **3.** leurs. **4.** leur. **5.** leurs. **6.** leur. **7.** leur. **8.** leur. **9.** leur / leur. **10.** leur.

b) • Si *leur* est devant un nom, il s'accorde avec ce nom : *leur* au masculin / féminin singulier ; *leurs* au masculin / féminin pluriel. Dans ce cas, c'est un déterminant qui marque la possession.

   • Si *leur* est devant un verbe, il reste invariable. Dans ce cas, *leur* est pronom personnel : il remplace un nom au pluriel.

❧ ❧ *Parcours 4, p. 81* ❧ ❧

Séquence 13 p. 82

1) Sentiments, p. 82

a. Enregistrements nᵒˢ 2 / 4 / 10.
b. Enregistrement nᵒ 7.
c. Enregistrement nᵒ 5.
d. Enregistrement nᵒ 9.

e. Enregistrement nᵒ 6.
f. Enregistrement nᵒ 3.
g. Enregistrements nᵒˢ 1 / 8.

2) Mise en relief, p. 82

1. Ce que j'apprécie beaucoup chez cette collègue, c'est sa discrétion.

2. Ce que j'aime bien dans ce restaurant, c'est le couscous.

3. Ce que je déteste à la télévision, ce sont *ou* c'est les séries.

4. Ce qui m'ennuie, c'est l'absence de Maud.

5. Ce que j'adore dans le Sud, c'est la chaleur des gens.

6. Ce que j'aime beaucoup, c'est l'humour de cette fille *ou* Ce que j'aime beaucoup chez cette fille, c'est son humour.

7. Ce qui m'énerve, c'est l'assurance de Jacques *ou* Ce qui m'énerve chez Jacques, c'est son assurance.

8. Ce que je crains, c'est le côté imprévisible de Jean-Louis *ou* Ce que je crains chez Jean-Louis, c'est son côté imprévisible.

3) Sentiments, p. 83

1. **L'indifférence :** Vous pouvez faire ce que vous voulez, cela m'est égal !
2. **La satisfaction :** Je suis contente de l'avoir vu, j'ai pu régler plusieurs problèmes.
3. **La surprise :** Ta grand-mère a acheté une moto !
4. **Le dégoût :** Ce qu'il a fait, c'est ignoble !
5. **L'optimisme :** Je suis sûre que tout va s'arranger.
6. **L'enthousiasme :** Fabienne est reçue à son concours ? C'est formidable !
7. **La sympathie :** Je trouve que Julie est une personne vraiment agréable et pleine d'humour.
8. **La révolte :** C'est inacceptable de donner un salaire aussi faible à ces gens.
9. **Le soulagement :** Ouf ! J'ai retrouvé mon portefeuille.

4) Critiques de livres, p. 84

	1	2
Titre	_Le Cœur enragé_	_Debout les morts_
Auteur	Gilles Del Pappas	Fred Vargas
Thème	Aventure sombre à Marseille	Intrigue autour d'une cantatrice qui découvre un jour un arbre dans son jardin
Appréciation sur le sujet	Aventure fantasque / humour et dérision	Un suspens bien ficelé / une histoire complexe
Qualité de l'écriture	Écriture vive et imagée	Écriture nerveuse et claire
Appréciation globale	Un vrai bonheur	Manque d'originalité
Opinion du critique	Très favorable	Réservée (le critique préfère les précédents romans de l'auteur)

5) Compréhension orale / expression écrite, p. 85

Le dernier film de Beverini, _Total Khéops_, est un film d'action. Le scénario est très original ; c'est une adaptation d'un roman de Jean-Claude Izzo. Le personnage de Fabio Montale est très attachant et les acteurs (Richard Bohringer et Marie Trintignant) sont vraiment excellents. C'est un film qu'il faut voir absolument.

6) Mise en relief, p. 85

1. C'est un film qui est vraiment très intéressant.
2. Ce sont _ou_ c'est mes clés que vous avez empruntées ?
3. C'est le premier film d'Almodovar que je préfère.
4. Ce sont _ou_ c'est les plages du Brésil que j'aime.
5. C'est par la vivacité de Jacqueline que je suis étonnée _ou_ C'est la vivacité de Jacqueline qui m'étonne.
6. C'est par votre gentillesse que je suis touchée _ou_ C'est votre gentillesse qui me touche.
7. Dans ce village, c'est l'église qu'il faut absolument visiter.
8. C'est une photo d'identité que vous avez oubliée.

7) Réactions, p. 85

Cette activité est une activité d'expression écrite personnelle. On ne propose donc pas de corrigé-type.

8) Opinions, p. 86

6	1	4	7	3	5	8	2

9) Sentiments, p. 86

1. Ça m'inquiète.
2. Quelle satisfaction !
3. Je suis indigné !
4. J'ai beaucoup de sympathie pour lui.
5. Je suis déçue.
6. Ça m'excite.
7. Ça me révolte !
8. Je suis très satisfaite.

10) Adverbes, p. 87

amèrement / vraiment / complètement / seulement / Heureusement / certainement / rapidement / facilement.

11) Qualités / défauts, p. 87

Qualité	Enr. n°	Défaut	Enr. n°
Il/Elle est très sensible.		Il/Elle est insensible à tout.	8/10
Il/Elle est ponctuel(le).	9	Il/Elle est toujours en retard.	
Il/Elle est très fiable.	3	Il/Elle n'est pas fiable.	6
Il/Elle est modeste.		Il/Elle est prétentieux(tieuse).	4
Il/Elle est attentif(ive) aux autres.		Il/Elle est ambitieux(tieuse).	12
Il/Elle est généreux(reuse).	1	Il/Elle est égoïste.	10
Il/Elle est intelligent(e).	2	Il/Elle n'est pas très intelligent(e).	5
Il/Elle a le sens de l'humour.	7	Il/Elle est sinistre.	
Il/Elle est ordonné(e).		Il/Elle est très désordonné(e).	6
Il/Elle a le sens des réalités.		Il/Elle n'a pas les pieds sur terre.	10

Séquence 14 p. 88

1) Opposition, p. 88

1. pourtant.
2. même si.
3. malgré.
4. pourtant.
5. Malgré.
6. cependant.
7. en dépit de.
8. Même si.

2) Opposition, p. 88

1. sa récente défaite contre Lille.
2. le film de Jean Santeuil est un succès commercial étonnant.
3. j'adore le théâtre.
4. elle m'a invité à passer quatre jours dans sa maison de campagne.
5. tous ses défauts.
6. quelques signaux alarmants.
7. j'ai pris 2 kilos.
8. je l'aime bien.

3) Critiquer / argumenter, p. 89

	1	2	3	4	5	6	7	8
Très favorable	✕				✕			✕
Plutôt favorable			✕			✕		
Plutôt défavorable				✕				
Très défavorable		✕					✕	

4) Argumenter : vacances en France ou vacances à l'étranger ?, p. 90

	Arguments utilisés par Élise	Arguments utilisés par Lydie	Arguments inutilisés
1			×
2	×		
3		×	
4	×		
5			×
6		×	
7	×		
8			×
9		×	
10	×		
11			×
12			×
13		×	
14		×	
15			×

5) Expression écrite : critiquer / argumenter, p. 91

Article critique négatif :

Le film de Sam Raimi présente une intrigue simpliste et peu convaincante : comment entrer dans cette histoire peu crédible ? Le personnage de Peter Parker est, au début du film, un héros ahuri qui se transformera ensuite en super-héros, vêtu d'un costume ridicule... On n'y croit pas. Ce film est un exemple de science-fiction caricaturale où les effets spéciaux, notamment, sont exagérés. En outre, c'est un étalage excessif de bons sentiments. Enfin, le jeu des acteurs, sans originalité, est tout à fait conventionnel.

Article critique positif :

Sam Raimi nous donne à voir une histoire simple mais belle. C'est aussi une histoire positive où les valeurs du Bien et du Mal sont nettement définies. Ajoutez à cela des personnages jeunes et sympathiques, une histoire d'amour émouvante, des cascades et des trucages éblouissants, un générique magnifique. En outre, le film respecte l'esprit de la bande dessinée (par exemple, le costume de Spider-Man n'est pas du tout ridicule). Enfin, c'est pour les nombreux jeunes qui le verront une belle leçon d'humanité.

6) Argumenter : organisation logique du discours, p. 92

4	8	2	6	1	7	3	5

7) Argumenter / compréhension orale, p. 92

	Vrai	Faux
1.	⊠	
2.		⊠
3.	⊠	
4.		⊠
5.		⊠
6.	⊠	
7.		⊠
8.	⊠	

8) Grammaire : *en / y*, p. 93

1. Nous allons en parler.
2. J'y suis allée deux fois la semaine dernière.
3. J'en suis très content.
4. Dis, il est temps de t'y rendre.
5. On y enseigne le russe et le japonais.
6. J'y ai travaillé des années.
7. Je ne m'en suis pas rendu compte.
8. Nous nous en inquiétons.

9) Orthographe : les homophones *ni / n'y / nie / nid*, p. 93

1. n'y.   **2.** n'y.   **3.** ni / ni.   **4.** nie.   **5.** ni / ni.   **6.** n'y.   **7.** nid.   **8.** n'y.

◖ Séquence 15 ◗ p. 94

1) Gérondif, p. 94

1. En allant dans le Sud, passez chez Pierre.
2. En roulant moins vite en ville, les gens auraient moins d'accidents.
3. En la voyant, j'ai compris qui elle était.
4. En mangeant mieux, tu devrais maigrir.
5. En allant à l'épicerie, prends le journal.
6. En prenant cette petite route, tu gagnes une demi-heure.
7. En mettant un peu de vin, la sauce pour les champignons sera meilleure.
8. En travaillant régulièrement, vous aurez votre examen.
9. En sortant, elle pleurait.

2) Gérondif, p. 94

1. Si tu téléphones à Sylvie, tu sauras ce qui se passe entre elle et Paul.
2. Lorsqu'elle a épousé Mark Schmoll, Rita Bato est devenue la femme la plus riche d'Allemagne *ou* Parce qu'elle a épousé...
3. Quand tu partiras, tire la porte derrière toi.
4. Quand je suis allée à Paris, j'ai rencontré Hubert dans le train.
5. Si tu achetais cet appartement, tu ferais une bonne opération.
6. Quand j'ai lu ce guide sur Madrid, j'ai beaucoup appris sur cette ville *ou* Parce que j'ai lu ce guide...
7. Quand il a inventé cet objet, Moulinex a révolutionné la vie de la ménagère.
8. Quand tu as invité Marc au bord de la mer, tu lui as permis de se changer les idées.

3) Gérondif, p. 95

1. En pratiquant les arts martiaux, Pierre a acquis une grande sagesse.
2. En appelant Annie, tu pourrais vérifier cette information.
3. En partant demain dans le Sud, tu auras moins d'embouteillages.
4. En voyant Adèle, j'ai compris qu'elle avait un problème.

5. En envoyant des fleurs à Monique, tu lui ferais vraiment plaisir.

6. En gagnant cette course, il a touché beaucoup d'argent.

7. En roulant moins vite, tu dépenserais moins d'essence.

8. En allant à la poste, j'ai rencontré Gilbert.

4) Pronoms relatifs, p. 95

1. que. **2.** dont. **3.** qui. **4.** qui. **5.** que. **6.** dont. **7.** qui. **8.** que.

5) Pronoms relatifs, p. 96

1. C'est un objet inutile que je n'achèterai pas.

2. Jacques Ledoux est un écrivain dont tout le monde parle.

3. Nous allons aborder aujourd'hui un problème qui est très important.

4. Aline, qui vient d'arriver à Grenoble, est l'amie de Paul.

5. C'est un appareil utile qui coûte très cher.

6. Maria est une étudiante qui vient de Barcelone.

7. C'est un roman policier de Camilleri dont je t'ai parlé.

8. Alain est un peintre qui a fait une exposition le mois dernier à Lausanne.

6) Accords du participe passé, p. 96

1. arrivée. **2.** partis / allés. **3.** vu. **4.** acheté. **5.** venus. **6.** montée. **7.** rentré. **8.** invités. **9.** écrit. **10.** nées.

7) Accords du participe passé, p. 97

1. visitée.	**3.** pris.	**5.** parlés.	**7.** vu.	**9.** parlé.
2. achetée.	**4.** visité.	**6.** rencontrée.	**8.** venues.	**10.** donnés.

8) Accords du participe passé, p. 97

1. prêtés.	**3.** acheté.	**5.** présentée.	**7.** entassés.	**9.** achetée.
2. parties.	**4.** née.	**6.** terminé.	**8.** arrivés / vus.	**10.** abandonnée.

9) Accords du participe passé, p. 97

1. ai pris.	**4.** est arrivée.	**7.** est née.
2. ai vu.	**5.** as envoyés.	**8.** sommes allé(e)s.
3. sont partis.	**6.** ai perdu / suis rentré(e).	**9.** ai appris.

10) Compréhension écrite, p. 98

a)

	Vrai	Faux
1.	☒	
2.		☒
3.	☒	
4.	☒	
5.		☒
6.	☒	
7.		☒
8.	☒	
9.	☒	
10.		☒
11.	☒	
12.	☒	
13.	☒	

b) Cette activité est une activité d'expression écrite personnelle. On ne propose donc pas de corrigé-type.

11) Français familier, p. 99

	Oui	Non
1.	☒	
2.		☒
3.	☒	
4.	☒	
5.		☒
6.	☒	
7.	☒	
8.		☒
9.	☒	
10.		☒
11.	☒	
12.		☒

Séquence 16 p. 100

1) Exposer, p. 100

	Début	Milieu	Fin	Thème
1	×			la littérature de jeunesse
2			×	la démographie de l'Europe
3		×		le personnage de Dracula
4			×	l'Afghanistan
5	×			l'opposition à la construction d'un nouvel aéroport
6			×	l'opposition à la construction d'un grand canal
7		×		les météorites
8			×	la bande dessinée

2) Vocabulaire / verbes d'opinion, p. 100

1. évaluons *ou* estimons.　**2.** doute.　**3.** jugé.　**4.** estime.　**5.** considère.　**6.** s'imagine.

3) Compréhension écrite, p. 101

4	1	9	5	3	2	6	8	10	7

4) Français familier, p. 101

1	2	3	4	5	6	7	8	9	10	11	12
e	c	l	h	a	i	j	g	b	k	d	f

5) Expression écrite : lettre de motivation, p. 102

Colmar.
Rhône-Alpes.
j'ai été attaché culturel pendant six ans au Maroc.
j'ai fait mes études / Strasbourg.
Je suis l'auteur d'.
de l'association des Alsaciens de Lyon.
l'Alsace / ma région d'origine.
Je suis (très) intéressé.

6) Accords du participe passé, p. 103

1. présenté / acceptées.
2. répondu.
3. pris
4. partis.
5. retrouvé / envoyées.

6. souhaité.
7. passé / ri.
8. attendus.
9. faite / retransmise.
10. déménagé.

7) Exposer, p. 103

3	4	8	5	9	1	10	6	11	2	7	12

Achevé d'imprimer par l'imprimerie Hérissey à Évreux (Eure)
Dépôt légal : avril 2003-5165/02 - 5504/01 - N° d'impression : 94589